大展好書　好書大展

黑色漫談

蘇燕謀／編著

大展出版社有限公司
DAH-JAAN PUBLISHING CO., LTD.

目錄

1

黑是什麼？讓我們來探討黑的意義。

▼黑到底表示什麼？你是否想過「黑」是里字下面有四點，四個點有思念鄉里的意思？或是想到母親，就想回家鄉！這種想法是錯誤的。黑代表了許多意義，現在大家共同來研究吧！

▼在光的世界裡，黑色就是吸收所有的光線，而呈現一片黑暗的顏色，所以一般說到黑色，就會被認為是與黑暗同義。因此日本人有一句『無明』的說法，也就是說無光明等於沒有光線，是一片黑暗之意。這和白色能反射光線的現象完全相反。

▼「黑」的字源就是煙從窗口出去，而煙渣附著在窗戶上的意思。下面四個點表示火在燃燒。所以「黑」與「墨」無論字、形、意都是相關的。

▼在柔道方面，初學者是佩白帶，不到升段不能佩黑帶。在劍道方面，未上段者也不能佩帶黑色的護胸。

因為在武道界，黑色是表示武力高強，天下無敵的意思。

從前，當源氏和平氏作戰時，武士們就已經穿戴黑色的鎧甲盔甲、佩帶黑色的弓箭、黑色的刀、騎黑色的馬。這種武士是天下第一的豪傑，是一人可以抵抗十人，甚至二十人的勇猛將士。在武士的世界裡，黑就是勇者的象徵。

▼另外在方位學上，黑色是指東西南北中的北方。再者黑牡丹三字是指「牛」，而黑羊二字並非黑色的羊，而是代表「豚」。如此僅在上面加個黑字，其意義就完全變了。不過像這種例子其他也很多，讓我慢慢地告訴你吧。

黑是什麼？

▼「……乘坐我那一艘美麗的船，準備黑、白二種顏色的帆，如果帶著伊索（Isolde）公主回來時，就掛上白色的帆，如果沒有帶回來時，就掛上黑色的帆」。

這是「為了你，我才活著，也為了你，我才死」的兩個超越了生死的主角，騎士特里斯坦和王妃伊索間戀愛故事中的一節。

特里斯坦許了這個願之後，變得很衰弱，視力也減弱，幾乎無法看海。數天後，那艘船掛著白色的帆出現在水平線上，但由於復仇者的詭詐，強辯是黑帆的出現，特里斯坦便傷心的死了。這是個流行於法國、英國、德國及整個歐洲的悲劇故事，雖然是戀愛文學的古典作品，但仍值得一讀。

▼將「黑色」象徵死及悲哀的民間故事及傳說，不但在歐洲，其他世界各地也很多。在亞洲朝鮮民族所傳說的「百日紅」的民間故事，與特里斯坦和伊索的故事

黑就是吸收光和生命的顏色

相似。

「一個年輕人，當他要坐船去制伏三頭巨蟒時，將一個魔鏡交給他的女兒說『這鏡子內的白帆，如果變成紅色，然後又變成黑色，就是我被巨蟒咬死了。』」交待完後，年輕人踏上征途。這是百日紅的故事片段。在這裡黑也是作為死的象徵。

▼在心理學上，黑色所象徵的通常是靜寂、絕望、沈默、黑暗、不正、嚴肅、罪惡等等。

但是在奧運以及其他各種國際運動會中感受黑的力量——眼見黑人的活躍時，也許有人會對黑色產生活潑、有力的印象。

▼最後，我們以科學的方法，對黑色作一個定義。黑色就是完全不能反射而吸收一切光線的狀態。可是，黑暗也就是反射率〇%的顏色，是無法看見的。所以黑色的狀態，就是在箱子的內部貼上黑色的天鵝絨，然後將箱子穿一個洞，由箱外看內部時其顏色的狀態。

黑的形象

3 黑色的衣服表示什麼？

▼看電視或電影的時候，我們可以這樣的發覺到，殺人的劊子手所穿的衣服好像都一樣，一個長相兇惡的人，穿著黑色襯衫、黑色褲子、戴著黑色眼鏡、黑色帽子，一身黑的打扮。

這種人似乎知道黑色就是代表著絕望、黑暗、恐怖、不吉、罪惡等意義，同時告訴別人，自己是無惡不作的人，最好不要親近的意思。

▼黑色是不變、不動的顏色，所以它代表強烈的意志，也代表死、悲傷，或懺悔的心情。所以自古以來在基督教世界裡，每當送葬儀式及守喪期間，死者家人一定要穿黑色的衣服。

中國也一樣，在喪葬時所穿的衣服都是素面的黑色。

▼黑色的衣服也是佛教中和尚經常穿著的。但是地

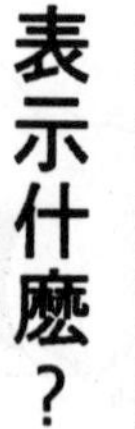

位較高的和尚穿紅色、紫色等的華麗衣服，普通的和尚才穿黑色衣服。

但並非自古以來的和尚就穿黑色衣服，印度的和尚是穿黃色衣服。這是因為黃色是太陽的顏色，象徵領悟、信仰。

但佛教傳入中國後，僧衣的顏色大部分是黑色，尤其是禪宗和淨土宗都是穿黑色的衣服。這裡黑色可謂代表了對佛的不變、不動的強烈意志。

黑衣

4

有很多關於黑的文學，如著名的「神曲」，就是因黑得到勝利而產生出來的。

▼以黑字作為書名，而聞名世界的小說『紅與黑』，是法國作家Stendhal的代表作。

▼故事描寫一個充滿野心名叫Julien Sorell的年輕人，與一個富有的上流社會人士之妻子戀愛，之後，又與侯爵的千金結婚，但最後因犯了殺人罪，而被送上斷頭台處死。由以上內容，也許你會以為這只不過是一個愛情故事，事實上並不這麽簡單，這是描寫一八三〇年法國社會政治的小說。

▼書名中的「紅」字，是指當時拿破崙軍隊所穿制服的顏色，是表示光榮的意思，「黑」是表示該時代掌握權力的聖職者所穿的聖袍顏色。書中描述男主角的生活方式，是得過且過，命運好像賭盤中的紅與黑一樣，不知會出現什麼顏色，代表著未卜的命運，這是一部內容深刻，而耐人尋味的作品。讓人們像看歷史一樣看這部小說。

▼比『紅與黑』更精彩的就是愛德佳阿郎波的『黑貓』。這是描寫一個男子以殘酷的手段，殺死自己所飼養的黑貓，而受到黑貓索命的恐怖小說。傳說黑貓就是惡魔的化身。黑狗也是一樣。所以一般對「黑」的印象多半是屬於黑暗的，其他有關黑的文學作品，也都有這種傾向。

▼還有康波尼所寫的『黑白年代記』，是描寫十三世紀末政治情勢的作品，指在當時義大利的佛羅倫斯，發生於維護大部分市民權利的「白派」，和維護小部分貴族利益的「黑派」之間，所爭執的時代故事。

▼在這鬥爭中，著名詩人旦丁（一二六五～一三二一年）也參與了戰役，結果白派失敗，屬於白派的旦丁，也因此自佛羅倫斯被放逐。從此過著孤獨的流浪生活，四年後開始寫他的大作『神曲』。如果當時白派勝利的話，旦丁就很可能成為政治家，而這部世界古典文學的傑作『神曲』，也就不可能產生了。

詩人旦丁

5

物體的影子是什麼顏色？在繪畫上，黑色的用法如何？

▼假如美術老師要我們畫一個蘋果，你要怎麼畫呢？大家一定先描形狀，然後塗顏色，然後才畫影子。問題就在這影子，影子是黑色的嗎？稍懂繪畫的人，就知道影子不能塗黑色。如果你正在塗黑色的話，要立刻停止。純粹的黑色，在繪畫的世界裡，不太受歡迎，所以一般很少使用。

▼「將黑色丟棄，也將黑與白混合的灰色丟棄。任何東西都不是黑色的，任何東西也不是灰色的」，這是畫家高更（Gau-guin）所說的。他就是使用原色，而畫出大溪地（Tahiti）之美妙世界的有名畫家。

▼對畫家來說，色彩是很重要的。查爾登說：「我儘量用與原物相似的顏色來作畫。」蒲桑說：「色彩與詩韻的美是一樣的。」塞尚說：「色彩豐富的時候，形態就很充實。」可見畫家們為追求顏色的表現而費盡心

力。

▼「有一天早上，我們之中的一個人，因為黑色顏料用完了，就用藍色來代替，於是產生了印象主義派。」（雷諾瓦）

這表示否定了純粹的黑，可見近代畫家的用心艮苦。印象派畫家仍與以前的畫家相同，他們強調光與影的重要關係，但卻用黑和白以外的顏色來表現在畫布上。

▼以上所說的是屬於西方的繪畫。中國的繪畫，在很早以前就已經考慮到黑色所具有的意義。像中國的國畫、水墨畫，利用水墨表現黑與白的對比，來使人感到還有其他的顏色。

▼「必須慎用黑色，只多一點點就會弄髒畫面」（魯頓）。慎用黑色，而只用一點點來表現美觀，這就是水墨畫的技巧。

黑與繪畫

6

近墨者黑……環境的可怕。

▼你們在學校或在家，與什麼樣的朋友玩呢？

一起玩的朋友是很重要的。有的一心模仿大人做壞事，有的一心注重學校的考試成績，而天天啃書，有的整天看漫畫。如果與這樣的朋友交往的話，就會「近墨者黑」，也就是說即使是白紗，若混在黑色的染缸中也會變黑。所以環境不好的話，即使是好人，也會變成壞人。

▼與這意義相似的如「近朱者赤」及「虱子到了頭上就變成了黑色」，意即原本為白色的虱子，一旦進入頭髮中就會變成黑色。這種說法難免有點牽強。

▼但也有與這相反之說。也就是不管外界環境如何，也不會受影響。所以你們要有堅強的意志，不要與壞朋友交往。因為你們正在看這本書，所以我相信你們不會。

▼「黑牛生白犢」

在某一個人家裡，由於黑牛生了白色小牛，所以他去請教孔子說「為什麼會這樣?」孔子回答說「有喜事」。於是他就將這頭牛獻給天地，一年後，父親失明了。黑牛又生了白牛，父親又再度請教孔子，孔子仍然回答說「有喜事」。同樣的又將白牛獻給天地，又經過一年，兒子也失明了。正在感嘆自己的不幸時，戰爭開始了，半年中，被徵調出征的人死了一半以上，而這對父子因失明而不必上戰場，當戰爭結束後，父子又復明了。

▼這是與「因禍得福」這一句話相同，在這世界上好事與壞事是輪迴的出現，好事不一定好，壞事也不一定壞。所以當你面臨失敗時，應想起這一句銘言，千萬不要消極失望。

黑的諺語

7

隔熱效果好，是因為有釋迦形的黑色捲髮。

▼「頭髮是如同烏鴉淋濕的羽毛」等等，自古以來烏黑的長髮被認為是美人的條件之一。最近，反而棕色被認為比黑色好看，而有人故意將頭髮染成棕色，但究竟頭髮是為了裝飾才有的嗎？

不是的，頭髮是為了保護怕熱的腦袋不受日光直接照射的。每根頭髮的中心部，都含有充分空氣的所謂髓質部分存在，而具有隔熱的作用。

▼髮質因顏色而不同，也因人種而不同。那麼，黑人與黃色人種及白人的頭髮，到底哪一種人的隔熱效果比較好，答案是黑人頭髮。這秘密在於他們頭髮的捲曲。由於頭髮捲曲，頭髮與頭髮之間有很多空氣，所以隔熱效果最好。

▼那麼，黑人與我們東方人，同是黑色的頭髮，但為什麼黑人捲曲，而我們是直的呢？這是因為頭髮形態不同的緣故。

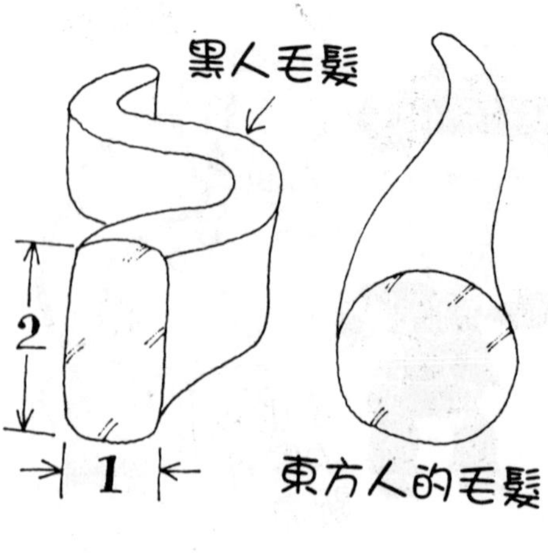

黑人毛髮

2

1

東方人的毛髮

毛愈捲，毛髮的斷面愈扁平。像黑人的頭髮，縱與橫的比例大約是二比一。而東方的頭髮，由於接近圓形，所以才成直線的。

▼頭髮以外，人的身體各部都長著具有各種作用的毛。耳朵和鼻孔的毛是防止灰塵進入，眉毛是防備太陽耀眼的直射日光而保護眼睛，睫毛則是預防異物進入眼睛。

▼男性所長出的鬢、髭有什麼作用呢？

現在只不過是具有裝飾作用而已，但在古時的冰河時代，在寒冷的原野狩獵時，具有保護臉部溫暖的作用。女性沒有鬍子，這是因為大部分的女性都是在溫暖的洞窟內養育子女、料理家務，所以才不會長鬍子。

▼還有頭髮重要的作用就是有「墊」的作用，可以保護腦袋。

黑髮

8

愈黑的愈有味道，黑吸收青春的氣息。

▼以前，餐具的櫥子內都放有黑碳，你知道嗎?這並不是作為防範老鼠的咒符，而其目的是為了除臭。像現在很多的脫臭劑，都是具有這種作用。脫臭劑內是含有「活性碳」的木碳粒。

▼一粒活性碳有很多小洞，這些小洞具有吸收味道的分子及色素等等的性質。又，黑色的衣服比白色的衣服更能吸收味道，所以學生制服及學生帽都洋溢著各種青春的氣息。總而言之，黑色與味道有密切的關係。

▼人的鼻孔內，有一種叫嗅上皮，含有大約五百萬感覺細胞的黏膜。從空氣中飄流而來的味道分子，碰到黏膜時就會發生神經電流，將這信號傳給腦，使他感覺這味道來。但是嗅上皮的顏色也因人種而不同，有的白、黃，也有黑、茶色，愈是近於黑色對味道愈敏感。

▼非洲的黑人，可以聞到好幾公里外的獵物，同樣

的嗅上皮是黑色的阿拉伯人，可以聞到距離五十公里以外火的味道。相反的嗅上皮是白色的白人，對味道很遲鈍。狗是黑色的嗅上皮，具有人四十倍以上的感覺細胞，所以嗅覺是人的一百萬倍。但也有嗅覺比狗更敏感的動物，那就是生活於水中的鮫魚、鮭魚及烏龜等等。

▼鮭魚只憑水中的一點點味道，就可以回到出生的故鄉，視力不佳的鮫魚，可以聞到遠方獵物的血腥味，而游集過來。靭魚在黑暗的海中，靠嗅覺尋找食物，蟑魚發現靭魚時，就放出黑墨汁而逃跑。這墨汁不但可以阻礙它的視力，也可以使靭魚的嗅覺痲痺，且具除臭的作用。

黑粉

9 能夠迷惑你並且比語言更能傳達感情的瞳孔，為什麼是黑色的？

▼「會說話的眼睛」，這是形容靈活的眼睛，可以將自己的感情傳達給對方。在電影的畫面上，經常可以看到一對男女，默默相對而擁抱的鏡頭。像這樣，眼淚和瞳孔，是最忠實而能夠將心中的感情毫不穩瞞的表現出來。

▼雖然說是瞳孔，可是很多人將瞳孔與眼珠混淆。我們應該對自己身體的名稱正確而清楚的記住。眼珠就是被眼白所包圍的部分，東方人是稍帶茶褐色。在眼珠中央的小洞，看起來黑黑的部分才是瞳孔。這瞳孔可以調節進入眼睛的光量，在明亮的地方會變小，在黑暗的地方會變大。

▼瞳孔會因明亮度而變大變小，並沒有羅曼蒂克的感覺，但是，也會因心情的變動而變化。看到可怕的東西時，或看到有趣的東西時，或很感動的時候會變大。

例如，當你凝視著你的愛人時的瞳孔，應該是張得最大。

▼那麼，瞳孔為什麼看起來是黑色的？如果說瞳孔的顏色是黑色的，那就錯了。瞳孔是透明無色的，而看起來是黑色的，那是因為透過透明的瞳孔，看到黑暗的眼球內部。換句話說，進入眼睛的光當中，被網膜所吸收的光大約只有五分之一；其餘並沒有反射出來，而被網膜背後的具有黑色素的細胞層所吸收；所以才看成黑色的。

▼但是，靠著月亮、星星柔和的光，而活動的夜行性的動物，就不同了。這些動物的網膜背後有一層反射層，把沒有利用的光送回網膜來看東西。這反射層在狗和貓都有，所以夜晚狗和貓的眼睛會發亮。如果，人也有反射層而你的愛人以發亮的眼睛凝視著你時，你的感覺如何呢？

黑眼珠

10 因檢眼器的發明，黑底翳的秘密被揭開了。

▼你們知不知道「底翳」這一句話？這是以前的人對眼睛疾病的稱呼。翳就是影子的意思。看起來眼睛好好的，可是看不見，這是在眼底有看不見的原因，所以才稱為底翳。在眼睛入口處的瞳孔變白的病叫「白底翳」（學名白內障），瞳孔變綠的病叫「綠底翳」（學名綠內障），嚴格說來，這是錯誤的用法。

▼本來的「底翳」，現在叫「黑底翳」（學名黑內障），這樣的加一個黑字稱呼。這就是瞳孔不變白也不變綠，而是原來的黑色，但是看不見，這叫做「黑底翳」。

但是，現在並不使用黑底翳這句話。為什麼呢？那是因為叫黑底翳的病不存在，而瞳孔黑，眼睛卻看不見的病有好幾十種。

▼為什麼知道這件事呢？因為透過黑瞳孔而看到眼球內部的方法被發明出來了。發現者是德國的生理學家

Helmhotz。一八五一年，他在反射鏡的中央打一個洞，而發現從這個洞裡看瞳孔時，可以看到眼底。這就是身體檢查時，醫生戴在頭部的反射鏡。

▼由於Helmhotz發明了檢眼器，漸漸的發現眼底也就是網膜的病，到現在已發現了一百多種。這其中的大部分，都是因其他的病而影響到眼睛的。例如，由於結核病、高血壓、糖尿病的影響，在網膜形成出血或水腫或產生斑點而失明，也有的是受到結核、蓄膿症的影響，視神經受到侵害而失明的。

▼雖然經過一世紀之久的醫學界的努力，但到現在還不知道治療法和原因的黑底翳還很多。

最近，發現有些是因身心症也就是精神上的原因而眼睛失明的病。如此看來，眼睛裡面還是一片黑暗的世界，它能受科學之光所照射的日子不知何時……。

黑內障

11

以曬黑的皮膚在海灘談情！現在來告訴你富有魅力的曬太陽方法

▼曬成黑褐色的肌膚，看起來總是很健康富有魅力的。在陽光溫和的歐洲都市，即使是很寒冷的冬天，但如能駕著無篷的跑車閒逛，使皮膚曬得黑一點的話，被認為是作為花花公子的條件。那麼，夏天在海邊，強烈的陽光之下，應如何來接受陽光呢？

▼皮膚成黑褐色，是為了保護皮膚不受有害光線的侵害，是身體的一種防衛手段。而發揮這種功能的是在皮膚內的黑色素。至於色素，在另一節中有詳細說明。當陽光照射到皮膚時，首先會發紅，然後產生叫紅斑的灼燒，又從灼傷的部分吸收更多的陽光，使皮膚下的血管擴大充血，及促進脂肪等的分泌。過分曬太陽時，皮膚會被燒焦，但可以在身體上塗上橄欖油，因橄欖油與皮膚的分泌脂肪一樣，有保護皮膚的作用。這是由油膜來遮斷接觸的氧氣，具有防止老化、氧化的作用。

▼有的人為了想要曬得黑黑的，就塗上可口可樂，

這是迷信而不可靠，與塗上醬油來烤年糕的情形不同，而且可樂一旦經過淋浴時就會脫落。皮膚變黑，是因為吸收陽光的色素沈澱所致，而皮膚的變色，當紅斑消失後才會顯現出來。所以剛從海灘回來時，皮膚是紅的，經過二～三天後，就變成黑色的了。

▼攀登像合歡山這樣的高山時，你是否看見過鼻尖貼一張三角形白紙的外國人？這並不是為了美觀，也不是為了安全的措施，而是為了防止日曬。在高山或滑雪場的陽光中，含有多量波長〇・三微米的紫外線，所以很容易引起色素沈澱。尤其膚色白的歐美人，很容易灼燒，特別是他們的鼻子較高，首當其衝，所以隨時會變紅，紫外線也是會造成皮膚癌的有害光線。

太陽光本來是含有很多的紫外線，但被包圍在地球周圍的臭氣層所散亂吸收，所以如果無臭氣層的話，連地球也會被曬焦的。

黝黑的皮膚

黑痣是天生的

12

▼你們大概都知道刺青吧。這是用一種特殊的針，和墨一起刺進皮膚，而描繪圖畫。刺進去的部分並不是皮膚的表面，而是在皮膚深處之真皮的地方，由於透過皮膚來看的關係，所以黑色的墨看起來是青色的。

▼但是，黑痣好像是天生刺在皮膚上的刺青一樣。代替墨的是黑色素。而製造黑色素的細胞所集中的地方就變成黑痣。

這黑痣，在中國是作為判斷運氣的資料。如果在眼睛下面就稱為「哭痣」，表示一生過得很悲慘的意思，如果在眼尾，就有遇到火災的可能。

▼但是在四方，點痣被作為化妝法之一。認爲黑痣是「美的眼睛」並受到重視。所以比較起來，東方人對黑痣太虐待了，我們應該多珍惜它。

▼其實，我們中國人是與黑痣特別有緣的民族。為

什麼呢？我們出生時，在背部或臀部就有胎記，好像是黑痣的頭目。通常這胎記在一～二歲時就會消失，但也有上了中學還留存著，也有長大後還留存著。

▼還有一種不像黑痣那麼明顯，而在皮膚上有黑白的花紋，你知道嗎？通常手腳的內側比外側白，頭髮內的皮膚也是比較白，黑人也一樣，這是由製造黑色素細胞的數量所造成的花紋。看起來比較白的地方，當然是製造黑色素的細胞少的地方，相反的，黑色素較濃的地方，是肛門的周圍及乳頭。

▼但是像嘴唇，在皮膚當中看起來較紅的部分，這並不是黑色素所造成，而是由於透過皮膚看到了血液所致。寒冷的日子臉頰會發紅，這是毛細血管擴大的關係，與黑色素無關。

黑痣

13

以前的人認為勞碌命的人，只要將黑膽汁取出就可以改變，這是為什麼呢？

▼「我是內向的人，所以我喜歡外向的人！」

「那個人有點怪怪的，也許有精神分裂症！」

最近在電視、雜誌上，很流行將人分成各種形態，以判斷人的個性。這種調查受到女孩子喜歡，但你知不知道「黑膽汁質」這一形態的人？

▼從未聽說過，那是當然的。因為從來沒有人做過這樣的分類。這是在古希臘時代，一個有名的醫師希波克拉底所想出來的方法。

他認為人的性質，可由身體中流通的血液、黃膽汁、黑膽汁、粘液等四種體液量的多寡來決定。血液多的人活潑開朗，黃膽汁多的人多愁善感，黑膽汁多的人勞碌命，粘液多的人較有耐性。由這樣的組合，可以判斷各種性質。這種分類法十五、十六世紀一直被採用，可以想像得出當時歐洲醫學的水準。

▼更不可思議的是有人把希波克拉底的體液性格分

辨法發揚光大。也就是羅馬的醫學家伽林。他認為人的疾病是由這四種體液所引起的。例如黃膽汁多的話，就會發燒，黑膽汁過多時，身體會衰弱而且憂鬱。如此想起來，這種奇怪得令人懷疑的診療法，竟然在當時風行，實在很可笑。

▼其疾病的診斷，首先是取出尿液檢驗，如果上面混濁就是頭部有病，下面混濁則是膀胱有病。所以治療時，只要抽出血液來治療、切斷血管或有時由水蛭來吸血。但是有很多人因失血過多引起貧血，使疾病更加惡化，這也是當然的。

▼現在醫學進步，已沒有人相信伽林的說法。但要分別性格，仍然有人使用粘液、黑膽汁等等之說。其影響之大，實在令人驚訝。

在性格判斷時，經常使用外向、內向的分類法，是德國心理學家容格，而以分裂質、躁鬱質、癲癇質來分類，是心理學家克烈曼所想出的新分類法。

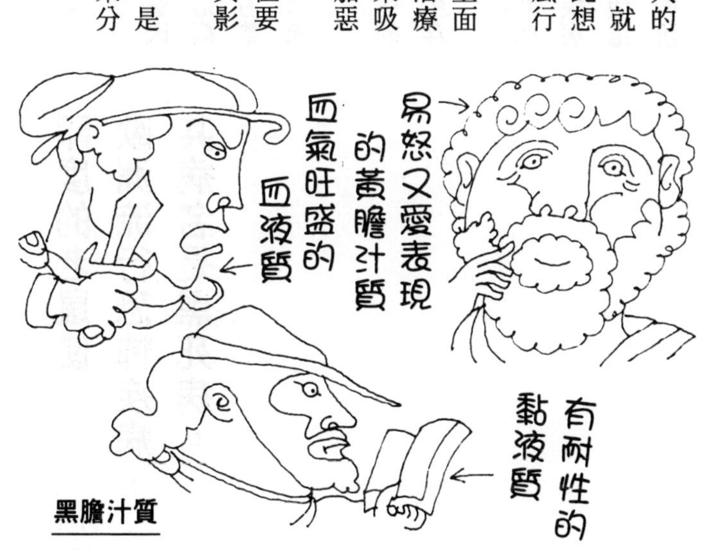

14 印度的老鼠使歐洲流行恐怖疾病，其病名是黑死病。

▼帶有黑字的字句，多半聽起來不大溫柔，而是很可怕的。這裡所說的黑死病是其中之一。一三四六—一三五〇年，在整個歐洲流行著可怕的傳染病，病人會因吐血、痛苦、呼吸困難、全身長黑斑而終於死亡，這病名叫黑死病。這時，因這種可怕的疾病而死的人，占整個歐洲全人口的四分之一到三分之一，大約二千五百萬人。

當時，一旦罹患這種病，並不知道其病因，得病的人會突然發燒病死，所以大家都活在恐怖中，沒有生存的朝氣。因此，只有向神祈禱而已。

▼但是，知道這種病的原因，是在最近的一八九四年的事。是由美國的醫生耶爾生，發現了引起這種疾病的是鼠疫菌，並且也了解了流行的來源及過程。而使這種疾病在歐洲流行的是印度森林中的黑鼠及其身上的跳

蝨。

▼本來，黑死病只是在老鼠之間流行的疾病，但由於森林遭受砍伐，所以住在森林中的老鼠就跑到民家來，於是就這樣傳給了人。

那麼，為什麼從印度流行到遙遠的歐洲呢？這是因為一三四〇年，在遠征的十字軍船上，帶來了有鼠疫菌的玄鼠，於義大利港口登陸。就在這裡發生黑死病（鼠疫病），因此立刻傳染到整個歐洲。換句話說，十字軍不但無法搶回基督教聖地耶路撒冷，同時還把這疾病的禮物帶回來了。

▼像這樣，在貿易或戰爭時，往往會把外國的疾病帶回來。所以現在在船上或飛機上，已有絕對禁止一隻老鼠進入的安全措施。

黑死病

▼中國的唐代，有一劉姓和黃姓的中年婦人，上山採藥時迷失了路，無法回家，於是就在河畔休息，這時她們發現了從上游流下來了菜葉子和粘有胡麻飯的柴碗，所以她們就知道上游一定有住家。

於是就順著河流往上走，果然有一座很豪華的邸宅。主人很歡迎她們，並且以胡麻飯款待，她們也很高興的暫時住了下來。

不久，她們擔心家裡的人著急，於是回家了。可是，當她們回到家時，村裡的情況完全改變，無一認識的人，經過打聽之後，才知道已是二百年後的世界了。

▼這故事與日本浦島太郎的故事相同。主要是說明吃胡麻會長生的故事。說二百年實在太過分，但實際上胡麻對健康是相當有益的食品。

▼胡麻，一半是營養豐富的油，裡面含有亞麻油酸

15 中年發福的父親，立刻開始減肥吧！

、維他命等的成分，具有消除積存於血管中膽固醇的作用。對中年發福的父親非常有效，你也應該為發福的父親，每天做胡麻給他吃。

▼像這樣的小粒子，即具有不可思議的力量。但，胡麻的原產地，據說是在印度，五胡時代（大約一千七百年前）才傳到中國。「胡麻」因為是很像植物的麻，所以才稱為胡麻。

16 歐洲人為了尋找神秘的黑香料，而在亞洲擴展他們的殖民地

▼十五世紀的世界史是發現新大陸的大航海時代。大家都知道哥倫布在一四九二年發現新大陸。但是你們知不知道他們航海的目的是什麼嗎？

▼那是因為想到印度。為什麼呢？因為渴望得到神秘的黑香料——胡椒。所以為了黑香料而作航海的旅行。

為什麼如此的渴望得到黑香料呢？因為歐洲人自古以來以肉食為主。為了使肉吃起來美味可口，所以必須消除臭味，而黑香料——胡椒是消除肉臭最好的香料。以前都是向沒有道德的阿拉伯商人購買，以同樣重量的黃金交換，因此被稱為黑黃金。胡椒如此貴，所以無法買得多，於是他們就想出不經阿拉伯商人，而直接到印度購買的方法。

▼當時，去印度只有經過土耳其、阿拉伯半島的陸路而已。可是走陸路的話，在阿拉伯半島一帶勢力強大

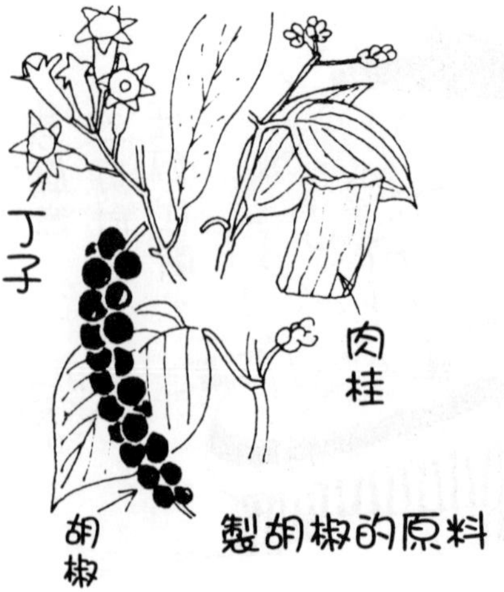

丁子

肉桂

胡椒

製胡椒的原料

的土耳其帝國，禁止他們通行，所以他們只好繞海。他們認為地球是圓的，無論向什麼方向出發一定會到達印度的。

▼這是為了吃美味的肉及為了想要以胡椒來賺大錢的慾望，才有人作了這種冒險的航海。但當時航海的人當中，也有不少為其它目的而出海的。

▼就這樣，往印度的航路被發現了。並且也發現了其他各國很多珍貴的東西。例如印度棉花、錫蘭紅茶、馬來西亞的橡膠等。歐洲人為了想要得到這些東西，於是佔據亞洲各國，做為他們的殖民地。這樣悲慘的狀態，一直連續到第二次世界大戰結束後。這是為了使肉味道吃起來更美好的黑香料——胡椒所引起的。所以對這些國家的人來說，胡椒是恐怖和黑暗的象徵，是改變世界史的一種黑香料。

黑香料

17 砂糖的顏色，本來是黑色的！並不一定要故意弄白

▼砂糖是白的，為什麼在『黑色漫談』中出現？不是很奇怪嗎？會產生這種疑問的人，將來一定是個大人物。

誰都知道砂糖是用甘蔗造成的。那麼，我要問你，剛做出來的砂糖是什麼顏色？是黑色，通常叫黑砂糖。經過精製後，才會變成白糖（普通的白砂糖）、粗糖、精製糖、冰糖。換句話說，砂糖本來的顏色是黑的，所以才出現在『黑色漫談』中。

▼黑砂糖是做花林糖和餡蜜時使用。它含有大量的維他命、鐵質、鈣質。

尤其鈣質含量比白砂糖多十倍以上。米也是一樣，不要不考慮營養，就將它精製為白米。最近，比較重視營養的媽媽，都不用白砂糖，改用「三溫糖」或「四溫糖」的茶褐色砂糖。這些糖的營養分雖然不及黑砂糖，

但礦物質含量比白砂糖豐富。

▼精製糖、冰糖是從白砂糖精製出純度很高的糖。所以，往往被認為比較甜，但實際上普通的糖甜分較高。原因是含有一些雜質較能強調甜分，例如，煮紅豆湯時，砂糖放太多也不行。要放一點鹽才會甜。

▼日本第一次出現砂糖是在奈艮時代。這是建造奈艮唐招提寺的鑑真，從中國將砂糖帶去的時候（七五四年）。後來，在江戶時代，開始栽培甘蔗，但在日本，除了沖繩島以外是無法栽種的，所以在日本砂糖是很珍貴的食品。因此，當時要吃甜食的話，只能吃蜂蜜。現在誰都能吃到砂糖，而大部分的砂糖都是由台灣或古巴輸入的。

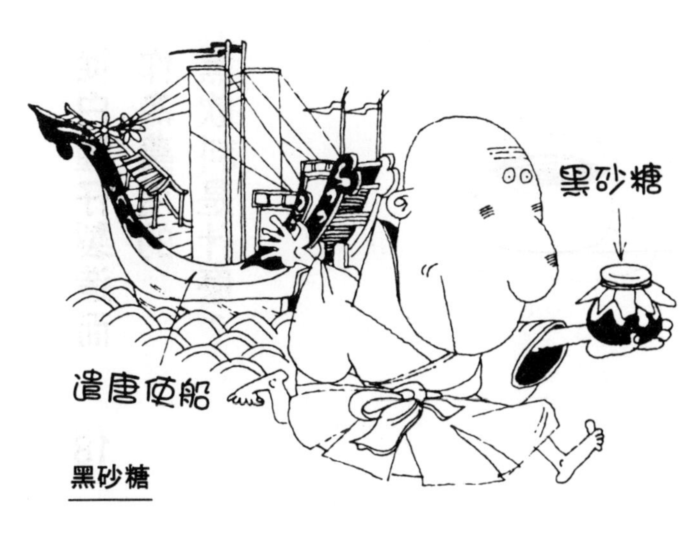

黑砂糖

18 從白種仔製造而作為藥用的黑飲料是什麼？

▼有一種類似青木，會結紅色又漂亮果實的果樹，吃果肉時，覺得很甜而且帶有點苦味。果肉吃完之後，會留下兩個白色的種仔，問題即在這種仔。阿拉伯人知道羊吃這種仔時會興奮，所以認為這種仔具有不可思議的力量。

事實上，果肉也被當作藥用，這是回教的和尚所不可缺的東西。白色種仔到底是什麼？與黑有關嗎？

▼這種仔是在全世界，大家所當作黑色飲料用的咖啡豆。你不要以為咖啡豆是黑茶褐色。那是因為經過火炒過的，本來的咖啡豆是白色的。

▼當你因考試而熬夜時，一定會為了提神而喝咖啡。回教的和尚，在慶典時，也會為了提神而喝咖啡。為什麼咖啡能提神呢？這是因為咖啡裡面含有咖啡因。

但是，很少人知道，咖啡裡面含有的咖啡因只有百

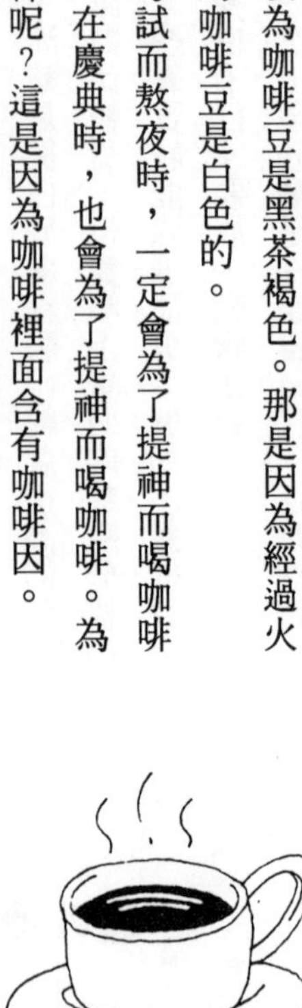

分之一至百分之五。即使晚上喝咖啡也睡不著的人，喝綠茶後很少有人失眠。所以喝少量的話，對提神的效果也許是精神作用而已。

▼咖啡還有重要的作用。即促進腦及心臟的機能及新陳代謝，尤其咖啡有利尿的作用。因有興奮的作用，所以有一部分的人認為咖啡會傷害身體。這是因為喝得過量所引起的。如果，一天喝一杯的話，具有清新頭腦的藥效。

▼咖啡的原產地是依索比亞。後來傳到歐洲，立刻受歡迎。你們現在所喝的用咖啡豆做成的粉末，用開水沖來喝的方法，是法國所發明的。

黑飲料

19 煮黑豆時加入鐵釘。這是使黑豆顏色鮮艷的方法

▼黑豆就是表皮黑黑的大豆。如果要煮成有光澤而沒有皺紋的話，有一個秘訣，現在我告訴你，你也可以回家告訴母親。

▼黑色是叫做Anthocyan的色素顏色。Anthocyan除了含在黑豆內之外，在茄子及紅紫蘇內也有。秋天時，會使柿子和楓樹的葉子變紅。這種色素遇到酸時就會變成紅色，與重金屬結合時會變成藍紫色。

至於為了使黑色顏色好看，最好加入燒明礬或生銹的鐵釘，燒明礬在水中溶化，變成硫酸鋁和硫酸鈣，所以是重金屬，而鐵釘當然也是重金屬。如果你認為生銹的鐵釘不衛生，而加入新鐵釘是不行的。因為新鐵釘塗有防銹劑。

▼醃漬茄子時，為了使茄子顏色變成美麗的紫色，必須加入燒明礬或生銹鐵釘。其道理與前述相同。

如果你曾做過梅乾的話，就知道將紫蘇葉放進梅汁裡時，梅汁就會變成鮮艷的顏色。這是因為Anthocyan和酸結合而變紅。那麼，你大概知道青色梅子的果實變成梅乾的道理了吧。這是與酸鹼的試驗液一樣。

▼為了防止豆皮破裂或產生皺紋，而使它膨脹，就必須要考慮到滲透壓。作為黑豆的調味料是砂糖、醬油、鹽，如果一開始就放進調味料，就會因滲透壓的作用而縮小變硬，並且產生皺紋。所以，泡在水中一晚上的豆，必須不放任何東西單獨的煮。如果用強火的話，豆會隨著對流的水跳動而豆皮破裂，因此必需用弱火。這時最好加蓋。等到豆柔軟之後，才慢慢放進調味料。所以凡事都不能著急，因為慢工出細活呀！

▼做料理也是一樣，要以科學的方法，這才是我們研究的態度。這樣的態度，對我們本身是有益的。

20 很少人知道黑麵包的秘密

▼你是否吃過真正的黑麵包？我為什麼要特別強調「真正的」，這是因為通常所說的黑麵包，是用黑砂糖或胚芽所做成的，都稱為黑麵包。

這個真正的黑麵包，是用黑麥做成的，稍帶有酸酸的獨特風味，在德國當作主食食用。

這是像中國人所吃的米一樣，對德國人來說是不可缺少的食物。

▼我為什麼提到黑麵包，因為作為黑麵包材料的黑麥，是在無法栽培小麥、大麥的寒冷貧瘠的土地上所栽培的農作物，在蘇俄及北歐栽培了很多，利用它製造黑麵包之外，也製造威士忌、伏特加等等的洋酒。

▼普通的白麵包是用麵粉和水及酵母菌來攪和，直到有黏性之後，等酵母菌的發酵而膨脹時用火烤。但是黑麥與麵粉不同，不會產生黏性。所以要加水和食鹽，

然後保持適溫，等待自然的發酵。這樣一來，就像酵母乳的乳酸菌增加一樣，攪好的麵粉會變成酸性，然後才會產生黏性。

因此，黑麵包吃起來會有一點酸味。而且麵包含有乳酸菌所產生出來的乳酸，對健康有益。

▼白米吃太多會帶來腳氣病，但吃麵包可以治療腳氣病。所以，吃麵包在中國、日本等東方國家愈來愈普遍。

黑麵包

21

即使不吃也能知道柿子是甜或澀，這是如何分辨的呢？

▼這裡有削好皮的五個柿子。其中只有一個是甜的，其他都是澀的。如果任你隨便挑選一個來吃，但一定要吃完，你怎麼辨呢？這時，如果一看就知道是甜或澀的就很方便了。現在告訴你這方法。

▼即使是甜的柿子，本來也是澀的，因為到了秋天成熟後，才會變成甜的。這是因為造成柿子澀澀的鞣酸，變成不容易溶化於水的物質，所以不覺得澀澀的，而覺得甜甜的。將甜的柿子削皮之後，可以看到很多的黑點。這就是鞣酸的聚合。所以如果柿子裡面沒有黑黑的鞣酸的聚合，而且很漂亮的話，那就是澀的柿子。因此，只要知道這一點，便能一目瞭然地分辨出是甜或澀的柿子，於是你就可以吃到甜的柿子了。

▼造成澀味的鞣酸並不只是柿子才含有的。濃茶會令人感到澀澀的，也是由於含有鞣酸的緣故。鞣酸不只

是包含在高等植物裡面，連下等的羊齒類及海藻類也含有鞣酸。在植物當中，樹皮的鞣酸含量最多。像柿子的果實及種仔，含有的鞣酸，多半在未成熟的果實，愈成熟的果實，含量愈少。而且受傷及蟲咬的部分，鞣酸含量特別多。

▼在自然界中常見的鞣酸，是自古以來生活上所不可或缺的東西。既可以當作黑色素用，也可以作為魚網的染色用。還有，在你們每天所使用的皮鞋、皮袋、皮包等皮製品裡，鞣酸也有重要的作用。即將牛、豬、馬的生皮，泡在鞣酸的水溶液中，這樣一來，皮就不容易腐爛而有耐性。此外，比較特別的用法是作為止瀉藥、整腸劑使用。

▼像這樣，含在柿子內的鞣酸會澀澀的，令人很討厭，而改變形態及用法，是很有用的。

黑色素

22

被稱為「森林奶油」的黑水果的美容食

▼黑黑的，皮像鱷魚的皮一樣又粗又硬的水果，你知道嗎？這是叫「森林奶油」的鱷梨。在這裡，來介紹這種獨特的水果——鱷梨。

▼鱷梨是墨西哥原產的南木科熱帶果樹，有七～二十公尺高，一年四季都結有果實。其果實必須用小刀切開又硬又黑的皮才能吃。在乳白色的果肉中央，可以看到一個像乒乓球那麼大的種子，拿掉種子，以湯匙刮來吃，但這樣吃一點味道都沒有，很不好吃，所以必須加入蜂蜜或食鹽或檸檬汁。在中南美都用於作沙拉或弄碎作成湯，如美奶滋一樣的吃。

▼雖然生的鱷梨很不好吃，但果肉含有十五％以上的脂肪，所以被稱為「森林的奶油」。在中南美常代替肉來食用。

▼至於種仔是又黑又大，由於價錢昂貴，所以去掉

可惜。而種仔發芽率高，放在花盆或玻璃杯裡，注入與其高度一半的水，兩個禮拜就可以發芽，你也可以試試看，也許你家的庭院會成為水果園。

▼水果，一般都當作美容食而很受女性歡迎，但是否可作為真正的美容食？

有些人為了減肥而不吃飯，像小白兔一樣只吃水果或沙拉，這樣一來反而不好。水果雖是維他命A、D的供給源，但更含有多量的糖分。所以不像蔬菜而是像糖果一樣，吃多了反而會發胖。

如果光吃蔬菜、水果的話，最重要的肌膚會變得粗糙，而變成黑黑不健康的顏色，所以要特別注意。

23 日本人吃黑紙！使乘黑船到日本的美國人大吃一驚。

▼日本人住在木材和紙建造的房屋，吃著黑紙生活！

這是第一次乘黑船到日本的美國人，看到日本人這樣的生活大吃一驚之後，回到美國報告的話。住在紅磚或泥土建造房屋的他們，看到用紙門或簾子建造的房屋，難怪會令他們感到驚訝。而又不是羊，居然吃著黑紙，當然令他們想不通。

▼令美國人大吃一驚的黑紙，到底是什麼？

這就是海帶。做飯團、壽司、調味用，自古以來即受日本人歡迎的食品之一。海帶從江戶時代就一直養殖栽培，曬乾之後做成像紙一樣薄來吃。

▼說到海帶，可能大家都會想到淺草海帶。這是因為以前江戶時代淺草河口附近盛產海帶而得名。後來東京灣污染，所以採集不到海帶之後，就將在全國各地所

養殖的海帶，或在東中國海沿岸所生產的韓國海帶，一律稱為淺草海帶。這種海帶，大多用於做湯。

▼海帶是在靠近海面很淺的地方培殖的。將紅藻類海帶屬的淺草海帶，寄生在樹立於海中的木棒或竹子（現在用網）的方法來培殖的。但是通常的海帶與好幾種的甜海帶混合在一起。

比較高級的海帶是黑紫色，以火烤時會產生黑綠色的光，並且發出芬芳的味道。

▼最後來談一談海帶的營養價值。海帶在所有食品中，維他命A的含量最多，並且含有多量的鉮和鉀。所以常吃海藻類的人，很少發生因碘不足而引起的甲狀腺機能障礙。希望你也能多吃。

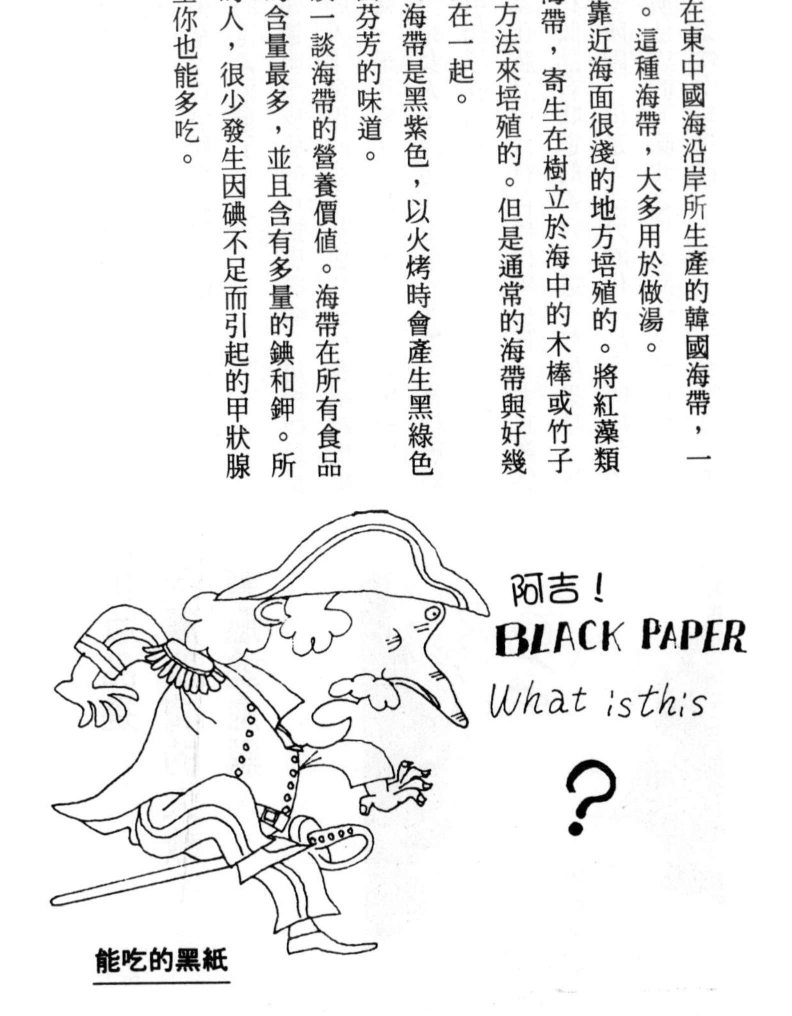

能吃的黑紙

24
化妝品是美麗肌膚的大敵！會愈塗愈黑。

▼愛美而使用化妝品是不能期待有什麼效果的。相反的，愈使用化妝品化妝，結果肌膚愈粗糙。也許有很多人不相信。但是，有這種想法的人已受到電視、雜誌的化妝品廣告的毒素影響了。

▼你知不知道叫黑皮病的可怕皮膚病？這種病是長期使用化妝品的人才會得的病，其症狀起初會引起皮膚粗糙而發紅發癢，最後變黑。最近，被這種病困擾的人愈來愈多，不只是女人，連男人也有。那麼，為什麼使用化妝品就會引起黑皮病呢？

▼這是因為化妝品內含有各種化學物質。尤其要特別注意的是使化妝品有味道的香料。這香料如果是由植物所製造的還無所謂，但是大部分的化妝品，所使用的香料是由瀝青所造成的。除此之外，使化妝品有顏色的色素及使化妝品柔軟均勻為目的所使用的化學物質等等

，都是對皮膚有不良影響的物質。

▼化妝品還有一個嚴重的問題。即鹼性化妝品。使用這種鹼性化妝品，會使經常保持皮膚表面柔軟的酸性溶化，是造成皮膚粗糙的原因。

▼另外，再提到化妝品的害處，在皮膚上塗化妝品時，會阻塞了分泌汗的汗腺的孔，而阻礙了汗的蒸發，並且促進皮膚的老化。

像這樣因愛美而塗化妝品，反而會傷害皮膚而造成黑皮病。如果為了想要掩蓋黑斑而塗上比以前更濃的化妝品，這樣一來黑皮病就更嚴重了。

▼這種可怕的黑皮病，如在輕微時就立刻停止使用化妝品的話，就會自然痊癒。所以你們也不要拖延，盡早停止使用化妝品。要真正漂亮的話，必須注意飲食和睡眠的時間，得到這方面的知識才是當務之急。

媽！你不要管我！明天
自然有明天的潮流，
這樣才是一個摩登的女性呀！

黑皮病

以黑制紅！要知道鐵銹的種類必須先使鐵不生銹。

25

▼奇怪！平底鍋又生銹了！

你的母親有沒有這樣說過？不要緊，愛清潔的母親都是這樣。這時，你要好好的婉轉勸她：「媽媽！這麼重要的黑銹不要擦掉，否則會生銹。」

「什麼叫黑銹？」可能你的母親會這樣問你。這時，你就回答：「這是四氧化三鐵，是以高溫使鐵氧化時所產生出來的黑銹。這種黑銹佈滿在整個平底鍋表面時，平底鍋才不會產生紅銹。所以不能用刷子刷掉。這是為利用黑銹來制紅銹。其實鍋子並不是黑的，了解了嗎？」

▼黑銹的主要成分是磁鐵礦。覆蓋在鐵的表面，所以即使接觸到空氣中的氧氣、二氧化碳，鐵也不會生銹。也就是說不會產生紅銹。

▼鐵銹有叫做黑銹的四氧化三鐵和叫做普通銹的紅

銹——氧化第二鐵（氧化鐵（Ⅲ））二種。這種紅銹是天然產生的赤鐵礦，是由鐵和空氣中的二氧化碳和水產生反應，成為赤褐色的氫氧化第二鐵（氫氧化鐵（Ⅲ）），然後再由空氣中的氧和水分所分解而產生的。鐵放著時會一再重複這樣的反應，最後變成紅銹而腐爛掉。

▼以前的人常被自然產生出來的紅銹所困擾。尤其是武士最重要的刀，必須經常擦拭塗油，所以非常麻煩。因此，武士對生銹的刀稱為「赤鰯」。如對刀不加以保養而變成「赤鰯」，往往被認為是武士最大的恥辱。

▼對鐵或馬口鐵的防銹方法，是鍍金或塗上油漆就可以了。但是保養我們的頭腦不讓它生銹就要靠平時的努力，否則考試前的開夜車是無效的。由本身所產生出來的銹很可怕，必須要注意。

黑銹

26 兒女像雙親嗎？由黑母蟲所生出的雪白小蟲，立刻就會變成黑的。

▼蟑螂是人人討厭的，可是也有它可愛的一面。

蟑螂也被叫做油蟲，其中黑蟑螂的背上像塗上油一樣的光澤。蟑螂有很多種，最具代表性的是又黑又大的黑蟑螂。它是雜食性，凡是腐爛的東西都吃，並且散播細菌、傳染疾病，被認為是害蟲。但是，蟑螂在人類還沒誕生的三億年前，就住在森林裡，吃落葉或腐爛的木材。後來，隨著人類社會的發展，就與人住在一起，吃著與人一樣的東西。

現在森林性的蟑螂也是吃朽木的草食性昆蟲，其體內具有可以分解消化纖維素的原生動物。

▼剛生下的蟑螂是雪白的。所以被認為是「白螞蟻的親戚」，你一看就可以知道。但這也只不過是一天的時間，其胸部就會立刻變黑而留有一條白色帶，然後經過六次的脫皮之後才變成成蟲。

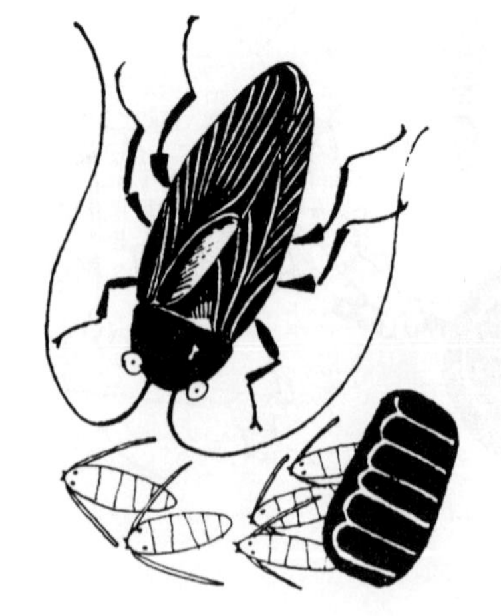

成蟲在臀部帶有卵囊，並且習慣把它帶著一起走路，當卵囊變成又黑又硬時就會產卵。卵囊內有排成兩排之雪白的二十三個蛋。

▼在拉丁美洲的音樂裡有「拉克拉查」的曲子，這拉克拉查是蟑螂的意思。這曲子是說蟑螂！蟑螂！你為什麼不會動？是因沒有大麻草了嗎？是這個意思。蟑螂的大麻草是什麼呢？

▼對蟑螂來說，會產生大麻草作用的是荷爾蒙。由荷爾蒙的作用可促進成長並與同夥聚集一起。這物質就是在糞便中被分泌出來的物質，或者是由觸角的接觸來分泌。所以，蟑螂藥就是使用這種可以聚集同類的荷爾蒙。

黑蟑螂

27

在狹窄的地方數量增加時就會變黑，而為害農作物的恐怖集團

▼「住在美國堪薩斯州的馬尼翁地方的農場，有一個十四歲的范克，在工作時看到天上有一片烏雲，直衝地面而來。突然附近一片漆黑，雞都跑到雞舍去了，這個范克先生預感到將會發生什麼不幸的事。

不久，發出呼呼的聲音，從西北方向飛來一大群蝗蟲。其數量之多令人難以相信，從農場上空飛下來了，范克從頭到腳，全身被蝗蟲所包圍。蝗蟲碰到的地方如被子彈打到般的痛。它們立刻開始尋找食物。從下午四時多著陸，當天色漸漸暗下來時，高度有三十公分以上的玉米，一株也不存在了。」

▼滿天蝗蟲吃地上的作物或植物的悲劇，自古以來在世界各地不斷發生，一八八〇年，日本北海道的十勝地方曾經發生過，一九七一～七五年在南大東島、北大東島也發生過，這種蝗蟲長著長長的翅膀，身體都是黑黑的。

▼這種成群的黑色蝗蟲，曾經被認為是特種蝗蟲。其實這種蝗蟲是由普通的王蝗蟲所變的，王蝗蟲是常見的背部綠色的大型蝗蟲。這種蝗蟲在一個很小的房間成群飼養時，經過幾代以後，會長成黑褐色的翅膀，成為長長的蝗蟲。這就是在天空中成群飛翔之蝗蟲的真面目。因為普通蝗蟲的生息密度增高時，就會長出有利於在天空飛翔的翅膀。這種變化過的蝗蟲，如一隻隻又分別在廣闊的別地飼養時，經過幾世代後，又會變成普通的蝗蟲。這種變化是因生息密度而引起的自由變化。

▼那麼，為什麼會變成顏色黑黑的翅膀、長長的蝗蟲呢？這是因為蝗蟲數目增加，密度增高，食物不足時，蝗蟲就不得不尋找新天地，於是蝗蟲就儘量使自己身體變小，長出強而有力、黑黑的翅膀，以達成他們的願望。我們人類是否也能像蝗蟲一樣的改變呢？

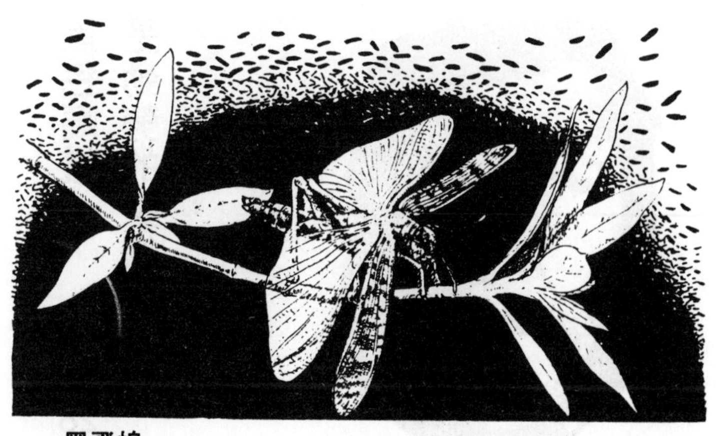

黑飛蝗

28

黑色螞蟻是勤勞的象徵？

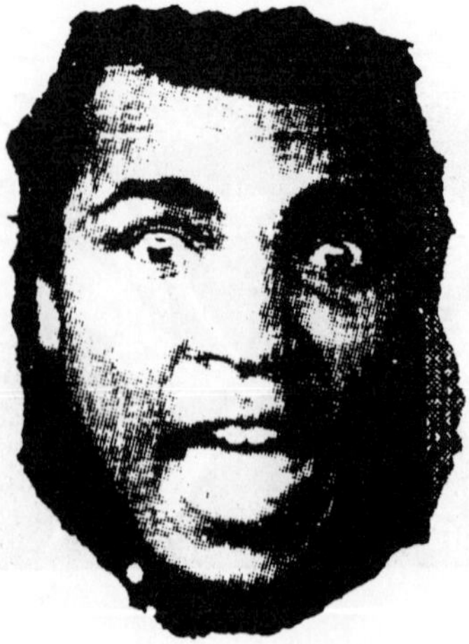

▼夏天一直鳴叫的螽斯，到了冬天沒有東西吃，就去找在夏天勤奮工作而貯藏食物以備過冬的螞蟻處討吃。這是很有名的伊索普童的話。

的確，螞蟻是很勤奮的工作，好像是勤勞的代表。但是，螞蟻是不是真的貯藏很多的食物呢？

▼現在，在世界上，螞蟻的種類大概有四千種，在日本也大約有一百五十種。有的紅的、白的，有的二公釐大，有的二公分大等等很多種。其中真正具有貯藏食物習慣的螞蟻，只有農蟻，其他大部分的螞蟻是過一天算一天，這是因為大部分的螞蟻，都是吃生物的屍體所以食物容易腐爛，無法長期保存。

▼農蟻的主要貯藏食物，是種子等植物，種子因為營養豐富又乾燥，所以可以長期保存，這樣說來，螞蟻與人一樣，隨時都能確保糧食。

▼在日本，這種農蟻經常可以在院子或庭園中看到，全身黑黑的，長著白毛的螞蟻，大小差不多五公釐。他們的窩在地下很深的地方，有的在地下四公尺處。巢裡分別有女王的房間、養育小螞蟻的房間，但大部份是做為食物的貯藏室。這種螞蟻所收集的東西，主要是稻科植物的狗尾草等種子。他們吃的東西很像人。

▼這種螞蟻具有貯藏種子的性質，但並不是伊索普童所說的在夏天很勤勞地收集食物。夏天，他們在地下照顧女王或小螞蟻。到了九月，當雜草的果實成熟，快要掉落時，才走出窩去收集草的種子。收集的活動大約繼續到第二年的二月，停止以後又到地下去過著地下窩的生活。換句話說，這種螞蟻為了貯藏食物，一年中只要工作半年就可以了。

黑螞蟻

29

有黑點的昆蟲是有利於人類的益蟲。點的顏色是否能改變？

▼瓢蟲往往被認為是紅底黑點的小甲蟲。但也有全黑的小甲蟲。有的黑底紅點，有的黃底黑點，尤其黑底的甲蟲，在寒冷的地方特別多，瓢蟲斑點的數目不同，有的只有兩個斑點，有的有二十八個斑點。有的斑點模糊而變成網狀，也有的根本沒有斑點，但都是與黑有關，看起來很可愛，是有益人類的昆蟲。

▼瓢蟲是由卵→幼蟲→蛹→成蟲的完全變化。由蛹變成成蟲時，身上的顏色還不是紅色或黑色，而是很漂亮的黃色，隨著時間的經過，慢慢出現花紋。

▼關於瓢蟲的身體顏色，可作一個很有趣的實驗。即是改變昆蟲體色的實驗。但並不是用水彩或油漆來改變，而是改變它的食物。

普通的紅色瓢蟲最喜歡吃油蟲（不是在你家櫥房的蟑螂）。它含有紅色素，是造成瓢蟲身體顏色的原料。

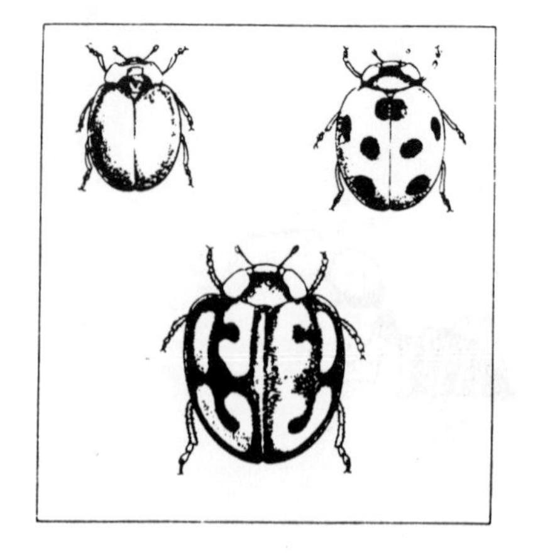

所以，你不用油蟲，而用含有其他色素的食物餵它時，它會自由自在的變成黑色、綠色、紫色。你可以實驗看看。

▼關於體色，談到這裡。下面要談的是瓢蟲對我們人類是有益的昆蟲。例如：油蟲是發生在薔薇或果樹的害蟲，瓢蟲則是將油蟲消滅的昆蟲。

▼一八六八年，在美國加州的橘子產地，繁殖了很多害蟲，使橘子栽培陷入危機。這時從澳洲引進了一百二十九隻的瓢蟲，十四個月後，這些害蟲全被消滅了。所以瓢蟲可以說是橘子的恩物，是益蟲。

有黑斑的昆蟲

30 為了生存，即使周圍變黑，白色也會隨著變黑。

▼你們都認識達爾文吧？地球上現在有好幾百萬種生物，四十五億年前，地球剛形成時，根本是無生物存在。大約在三十億年前才出現生物。這是由很簡單的細胞所形成的。這些隨時會消失的生物，是如何產生現在高度複雜的生物呢？生物所經過的變化叫做進化論。達爾文就是說明進化情形的第一個人。進化的想法現在已變成普通常識。

▼在這之前，大家都認為生物是由神所創造的。打破這個觀念的達爾文，使基督教世界的人們想法產生動搖，這種論說是在一百二十年前發表的。那麼進化和黑有什麼關係，請你慢慢看下去。

▼達爾文認為生物的進化過程如下：生物具有變化的性質。換句話說會出現與過去所不同的性質。其中，適合環境的種類會斷斷續續生存，而不適合環境的種類

就會消滅。

▼這個想法是否正確，只要做實驗就知道，但生物的進化需要相當長的時間，所以無法做實驗。但是只有一個例外，僅僅在數十年中由大自然做了一個進化的實驗。

▼在英國的工業都市曼徹斯特的附近，從一八五〇年起，本來是白色的蛾蛾，慢慢變成黑色。原因在於從工廠噴出的黑煙。在工廠還沒建立之前，停在樹幹上與白苔顏色一樣的蛾蛾，不容易被鳥發覺，所以繁殖了很多。後來工廠成立，由於黑煙的影響，白苔都變成黑色，白色的蛾就看得很明顯，容易被鳥吃掉了。所以以前很少的黑蛾就這樣增加，這證明了適合環境才能生存的達爾文的說法，也就是所謂工業黑化現象。

黑蛾

▼黑蝴蝶有很多種，例如烏鴉、鳳蝶、長尾鳳蝶、蟾蝶等等。最具代表性的是蛟蝶，全身是黑色，公的後翅前面邊緣有白色部分，後面有紅的花紋。在日本的東北北部，一年只出現兩次，數目不多，但由關東到西部的溫暖地方，一年可出現三次以上，是從春天到夏天常見的鳳蝶類。

▼鳳蝶好像穿著黑色禮服的英國紳士一樣的莊嚴，必須遵守奇妙規矩生活，這是很少人知道的。你們也許看過夏天在院子或馬路附近，總是從一個方向飛來的蛟蝶。它喜歡尋訪臭木、杜鵑、彼岸花、合歡木、百合花等等。牠們巡迴的順序有固定的路線。每天總是按照蝶路巡迴的，多半是屬於這種黑色的鳳蝶類。

▼蛟蝶產卵時都會遵守一定的規定。蝴蝶吃的草，種類不一樣，蛟蝶的幼蟲是吃枸橘、橘子、柚子、山椒

31
愈黑的愈頑固，很嚴謹地遵守奇妙的規矩。

等杜橘類的葉子而成長。母蝶知道幼蟲要吃什麼，所以都會到幼蟲所需的樹木產卵。蛟蝶連續產卵的方式有一定的規矩，它會產下二十～一百個之多的卵。每一片葉子產一個卵，而且一定要產在葉子的背後。也有將卵全部產在一個地方的蝴蝶，像這樣一個個分開，比較不會被發覺而遭吃掉。

▼蛟蝶的幼蟲非常頑固。大部分的蝴蝶及蛾的幼蟲都是夜行性，為了預防被鳥吃掉，白天隱藏。樹葉背部或泥土中，但大部分鳳蝶類的幼蟲都是夜晚休息，白天出來找食物。

因此蛟蝶等的幼蟲，為了保護自己不致於被鳥或蜜蜂所吃，所以必須想辦法應付。牠們具有與周圍環境相似的保護色來穩瞞敵人的眼睛。它們也有使敵人害怕的像大眼睛的花紋，及發出令人討厭的味道的紅色觸角。牠們吃飽了以後，就下來休息。

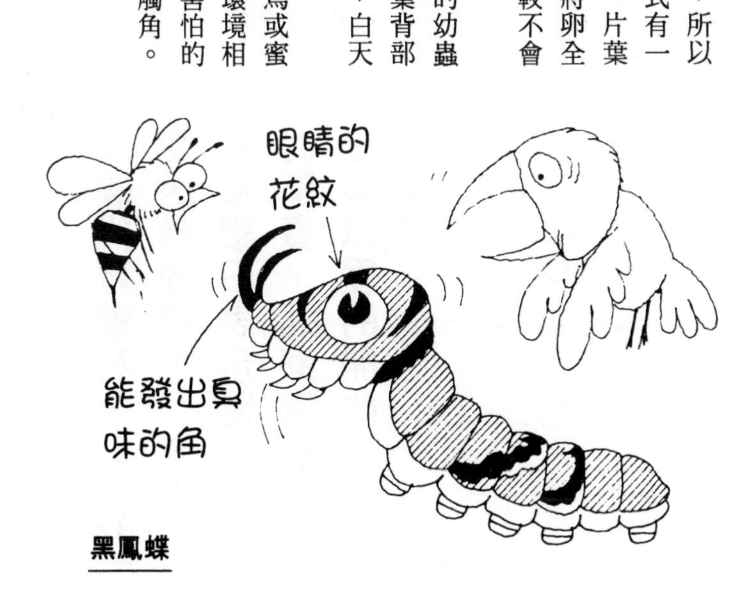

黑鳳蝶

32

黑碳代替鑽石，贈送給她吧！如果鑽石表示愛的堅貞，那麼黑碳是表示愛的開始。

▼世上的女孩子對金、銀、珠寶貪得無厭，為了她你乾脆用你的全部財產買一顆鑽石送給她，她就是你的了。但你是否有這麼多的財產？

▼如果你們還沒辦法買鑽石來送給她，以表示愛，那麼，你可以用它的原料來送給她。即是煤碳或寫毛筆字用的墨就可以。漂亮的鑽石本來就是黑粉末，是用碳所鑄成的。

▼這裡有一證據，無論如何硬的鑽石都很怕火，因為它是由碳所製成的。在九百度高溫時會燃燒變成二氧化碳，如不相信你可以做實驗，但我不負責任。

▼雖然鑽石是由碳所構成的，但如果是普通的碳就像石墨（煤碳）一樣柔軟，無法切剖玻璃。而鑽石的硬度和反光的秘密是在於碳原子的結合。

鑽石是在一個碳原子的周圍被四個正四面體的碳原

子所包圍的結合。這種情況如要以人工方法來做時，必須使石墨有一萬氣壓以上，再以高溫將碳原子壓縮到極限的狀態。這樣的話，就可以產生○・一公釐以下的人工鑽石。但由於壓力不夠的關係，所以無法製造更大的鑽石。

▼天然的鑽石大約是在六千萬年前所形成的。那時地殼的內部有激烈的火山爆發，從地球的內部噴出大量的岩漿，天然的鑽石是由其熱量和壓力所形成的。

▼這種寶石是很硬的石頭。由於太硬，所以無法琢磨得很漂亮或鑽孔，所以降低了寶石的價值。但是在一四九○年，一個叫貝爾坎的人發現了琢磨鑽石的方法之後，美麗發亮的鑽石才受到世界上女性的喜愛。這樣硬的石頭必須加以琢磨，才會產生光輝而變成寶石。這表示什麼意思，你懂嗎？

黑碳

33 曾經大大改變世界之殺人工具的黑粉＝火藥，現在變成美麗的花朵。

▼什麼是世界的三大發明？電視機、飛機、鐳射光、原子彈、電話……很多很多。但這裡所要說的是十八世紀工業革命前的發明品。那是什麼呢？

那是紙、羅盤及現在所說的黑粉，也就是火藥，這三大發明。

▼火藥與紙是中國所發明的，那時大概是三～四世紀的時候。火藥發明之後，本來的弓箭、刀、槍，一對一的打仗方法有了很大的改變。也就是說黑粉的出現，改變了整個歷史。

▼發明黑粉的當時，作為殺人武器的效果不好。即是將火藥裝置在紙筒或竹筒，點火時會發出很大的聲音和光，然後噴出濃煙之後爆發，這只能使敵人嚇了一跳，只有使敵人失去戰爭意欲的效果而已。

▼黑粉第一次傳到日本，是在一二七四年蒙古來攻時。使用黑粉的是蒙古軍，好像是一種火箭型的炸彈，

但當時日軍對炸彈所發出的光和聲音感到驚嚇，而不知其究竟。

到了一五四三年，槍才由中國經過葡萄牙傳到日本，這時日本人的驚嚇是無法形容的，所以這時才知道黑粉的存在和做法。以後所使用的槍枝變化，你在學校已學過了。

▼當時火藥的材料是木炭、硫磺、硝石混合做成的黑色火藥，用於大砲時，打了一炮就會噴出濃煙，直到濃煙消失前，什麼都看不見。在這槍口和炮口會黏有黑煙，如不擦拭無法打出第二炮，所以非常不方便，後來改善這缺點而發明無煙火藥。所以現在的火藥，主要是液體的硝化甘油。

▼以前的黑色火藥已不是作為殺人工具，而是讓我們欣賞的東西。是作為在夏天的夜空花花綠綠的焰火材料。

黑色炸藥

34

喜歡吹肥皂泡沫的是小學生。你們來觀察黑膜的出現吧！

▼你知不知道肥皂泡沫有黑膜？如果你不知道的話，趕快到廚房做實驗。

將你媽媽用的洗潔劑少量放在水中，放在盤或碗裡（用碗內側黑色的容器比較好）。然後用吸管吹，吹一個半圓形的泡沫放在肥皂液上。不久，在頂上會產生小小的黑點，其周圍會有藍、紅、紫的漂亮花紋逐漸擴大。這時黑點也會慢慢擴大，變成黑膜向下擴大、擴散，這時泡膜就會破裂。

▼肥皂泡沫會形成這種黑膜，早期牛頓也已觀察過。後來這種不可思議的現象引起很多著名科學家的興趣，做了很多實驗，結果在化學界帶來了很大成果。

▼現在簡單的來說明。肥皂泡沫是由兩層薄薄的膜所形成的。隨著時間的經過，膜與膜之間的水分逐漸蒸發，或多餘的水分滲透出來，使膜的間隔狹小，最後變

成一層薄薄的膜，而被看成黑黑的。黑膜是處於更薄的狀態，所以黑膜出現不久，肥皂泡沫就破裂。

▼黑膜是由什麼物質所構成的呢？洗潔劑及肥皂液都是含有脂肪酸的一種油性物質。將油滴在水面時，會慢慢擴大開來，這就是黑膜。你在學校也可能做過油酸分子的測量實驗。

結果是五十萬分之一毫厘這麼小的數字，而這黑膜的厚度是二十五萬分之一毫厘，也就是比油酸分子大兩倍。因為黑膜構造中間夾有水，兩個脂肪酸像三明治狀所構成的。這樣的黑膜的研究，使界面化學的領域帶來很大的貢獻。

黑膜

35 印第安人稱為「會燃燒的黑水」，現在大大的改變人的生活。

▼你知不知道石油是黑的？汽車所使用的汽油和在壁爐所燃燒的燈油多半是透明的，所以可能很多人不知道石油是黑的。

汽油和燈油不是黑的，這是因為將原油加以精製，除去不純的物質，所以才不是黑的。造成黑色的原料就是馬路工程師用的柏油，叫做石油瀝青。

▼在歐洲，從紀元前五世紀就已使用石油瀝青作房屋牆壁，但是在北美的印第安人，大約在五千多年前就已知道石油的存在，並將它稱為會燃燒的黑水。

▼石油的原油有的是淡黃色，有的是綠色，也有的是紅色。是由它所含的物質而有不同的顏色，但大部分是黑茶色的稠狀液體。石油，大部分在淺海的水層岩的地下層被發現，所以古時海邊動植物的死骸被認為是石油的來源。由於埋在地下的動植物的死骸，被地熱和壓

力分解為石油，所以石油在古時可說是太古生物的化石。

▼在埋藏石油的地層挖井時，會有黑色的原油噴出。這是被石油層上面所產生的高壓天然氣的壓力所擠壓出來的。為了將原油裡的泥水和硫磺化合物取出，精製分解為各種成分，所以必須把原油運到石油提煉工廠去。

在工廠裡把石油按照沸點低的次序分為天然氣、汽油、燈油、重油。最後留下的重油、瀝青都是黑黑的漿狀。

▼就這樣，石油經過精製之後，可以作為各種的使用，也可作為塑膠的原料。但在還沒有辦法提煉，也無法挖很深的井時，石油是無法加以運用，人類開始使用石油是最近的事。連尼龍發明時，還是用玉米的莖作原料。如今你們所穿的衣服及所住的房子，都是石油所做的。

可以燃燒的黑水

36 如果沒有會燃燒的黑石，那麼地球上就不會有你和其他的動物。

▼如果沒有煤碳的話，人類及植物是無法在地球上生存的。為什麼呢？

▼包括人在內的動物，最重要的是氧氣。如果沒有氧氣，只有食物是無法生存的。可是在四十億年前，地球剛誕生時，據說地球上是沒有氧氣的。

剛誕生的地球很柔軟，整個會蠕動，大氣的成分大多是甲烷和氨。然而大氣受了閃電的破壞，形成了生命之源的有機化合物。而如此產生的原始生命，是吃水中的有機物且排出二氧化碳而繁殖增加的。

後來才出現了能由陽光和二氧化碳來製造有機物和氧氣的植物。

▼在經過一段很長的時間之後，植物繼續分化，而到了石碳紀時就到陸上來，開始爆發性的繁殖增加。過去，一直是岩石、泥沼的地方，長出了樹幹的直

徑是一、五公尺，高三十公尺的羊齒類植物時，空氣中的氧氣量就增加到二十%。這是因為羊齒植物以光合成而製造了大量氧氣的緣故。氧氣一增加，呼吸氧氣的動物也增加了。空氣中所含有的多量二氧化碳，大部分都被植物所吸收，而這些植物又變成化石，於是碳就變成了煤碳。

▼發現煤碳的地層，最古老又最多的是在羊齒植物繁茂的石碳紀的地質時代。而煤碳一再被挖掘燃燒，或用於製作化學物品的原料，正好與古代背道而馳。

換句話說，等於使用大量氧氣來燃燒煤碳製造二氧化碳。因此所謂的科學文明，也只不過是把過去植物及動物所儲存太陽能的化合——亦即煤碳及石油挖出來而增加二氧化碳而已。

會燃燒的黑石

37

蒸氣火車頭噴出黑煙行駛的黑色巨大物體的秘密。

▼噴出黑煙而以很快的速度在行駛的黑色巨大物體蒸氣火車頭的黑色，本來是當作強而有力的代名詞。在外國雖然也有彩色的火車頭，但大部分還是黑色的。因為不怕受煤碳的灰燼弄髒，所以黑色是火車頭最理想的顏色。

▼火車頭所噴出的黑煙，好像表示火車頭強而有力，其實剛好相反，這證明煤碳不完全燃燒。因為燃燒不完全，所以煤渣及煤粉混合在一起而形成黑煙的。人也可以由大便的顏色知道身體的情況，同樣的，火車頭的情況也可由冒出的煙來判斷。情況好的話，煙是淡紫色的。

▼那麼，白煙怎麼樣呢?稱為白煙不如稱為水蒸氣，不，正確的是水蒸氣冷卻所產生的小小的水粒。這並不是白色的，因為光的亂反射，所以才看成白的。在寒

冷的冬天可以看得很清楚，夏天幾乎看不到。

▼那麼，火車頭所噴出的煙是氣體、固體或液體？如果你認為是氣體，那就錯了，答案是固體。

▼火車的聲音及所冒出煙的味道誰都受不了。以前，使用這種蒸氣火車頭時，軌道沿線的住家常受困擾，而最討厭的是黑煙。

衣服或家裡弄黑還無所謂，從火車頭冒出的灰燼往往會造成火災。

▼利用水蒸氣力量使活塞活動向前推進的火車頭，會喝水、吃飯（煤碳）、大便（灰燼和煙）、小便（汽缸的排水）、流汗（冰箱的結露）、排氣（安全栓的蒸氣噴出）。所以火車頭的構造是與人完全一樣的機器。

在台灣使用了將近一百年的火車頭已不見了，理由是九〇％煤碳會因熱及磨擦而浪費，且效率不好，所以現在不用了。

S.L

▼你相信不相信UFO的不明飛行物的存在。也許有人會說他看見過不明的飛行物，可是並沒有明顯的科學證據。而且人類還沒發現到地球以外的生物。所以什麼地方有什麼生物根本不知道。但現在至少發現了過去一直被懷疑的火星、月球等太陽系的星星並沒有生物存在。

▼那麼，銀河系怎麼樣呢？哈佛天文台的台長夏普雷說：「在銀河系有大約一億個可能產生生命的地球形行星。他認為在能夠發光的恆星當中，像太陽一樣擁有行星的恆星，大約一千個中有一個。行星中具有適當溫度的星球是其千分之一。表面上有大氣的大形行星，又是其千分之一。具有能使發生生命條件的行星又是其中的千分之一。換句話說，擁有地球形行星的恆星，是一兆個中有一個，在銀河系有一兆的一億倍的恆星，所以其中的一億個行星都可能產生生命。

▼雖然生物可能存在，但是由於距離太遠，所以無

在人類不斷探索的黑暗宇宙中，究竟有沒有擁有高度文明的生物存在。

38

法調查。即使是最靠近地球的（Centaurus）人馬座的α星A，離地球也有四・三光年，那麼要怎麼樣才能知道有無生物的存在？

於是科學家就計劃利用電波來調查有知性的生物及具有高度文明的生物是否存在。

一九六〇年，美國國立電波天文台的直徑二十五公尺的天線，朝向黑暗的宇宙，想接收宇宙人所發出的電波，那就是OZMA計劃。比這個計劃規模更大的是用直徑一百公尺的天線，以三百公尺的間隔排成直徑十六公里的圖形，這就是Cyelops計劃，但這個計劃還沒實現。

▼另外，從地球向太空人發出電報的計劃也正在實行。美國所發射的木星探測太空船十號拓荒者（Pioneer），裡面準備了很多寄給太空人的信。又從一九七四年開始，在波多黎克的直徑三百公尺天線，將太陽系的情形及人類的大訊號，用電波送到遙遠的宇宙。你對UFO的看法如何呢？

黑暗宇宙

可以想像但是看不見的神秘黑洞，這是誰想出來的呢？

39

▼你知不知道黑洞？黑洞是差不多有手指頭大，就有好幾億噸的重量，連光都會吸收掉的一種看不見的星球。那麼，什麼時候科學家才想到黑洞呢？這個問題，能回答的人大概不多，一知半解的知識是不夠的，所以現在我來談談與黑洞有關的知識。

▼取名黑洞的人是叫賀依拉和潘洛斯二位天文學家，是在一九七〇年才取名的，所以算是很新的名詞。但是，最先想到黑洞的人是愛因斯坦博士。一九一六年，他發表了一般相對性理論，這是有關重力的理論。在這篇論文中，他主張「空間會因重力而變形」的一種令人難以相信的自然法則。

根據這個理論，光通常是直進的，可是遇到具有巨大質量的物體時，會因重力而周圍的空間變形，光也會隨著空間的變形而直進，所以看起來好像光線會彎曲。

你慢慢想就會了解這個原理。

▼如果真的因重力而空間會變形，那麼就會令人想到因空間的變形而一旦進入裡面，就無法出來的一種球狀空間的存在。這是把愛因斯坦博士的理論，再進一步加以發展的一位學者的想法。但是，當時的學者，沒有一個人敢相信會有這種奇怪的空間存在。

▼但是到了一九三〇年代，有一位學者認為宇宙中有這樣的空間存在。他認為當星球燒盡時，大型的星球無法支撐自己本身的重量，而一直永遠的崩潰下去。以致本來在原子核周圍旋轉之電子間的間隙，都會崩潰結合成塊，變成僅有火柴盒那麼大，卻有好幾噸重量的星球。這種星球周圍的空間，由於重力很大的關係，空間會變形，以致連光都無法透出來。這就是黑洞的構想，但因其想法脫離現實且太離譜，所以不會引起人們的注意，直到四十年後才受到注目。

黑洞 I

40

存在於宇宙中，會吞食任何物質的黑洞。

▼你聽過百慕達三角洲的可怕故事嗎？凡是靠近百慕達海域的船隻或飛機，都會突然失蹤，為了解開這個謎，於是產生了「黑洞說」。

當然，看過前篇有關「黑洞」的知識後，你絕不會相信這種無稽之談。因為前面已告訴我們，黑洞是宇宙的吞食者，是能吞沒周圍所有物質的可怕星球，如果地球上真有「黑洞」，那地球豈不早已被吞沒，而成為一片漆黑了嗎？

▼能吸收陽光，而不產生反射作用，所以無法觀察的黑洞，過去一直被認為是科學幻想或理論上存在的物體，但隨著天文科學的發達，科學家已發明了觀測遙遠星球的方法，但對毫無光線的「黑洞」究竟要如何探索呢？

「黑洞因以極強大的力量吞沒附近空間中的所有物質，造成宇宙塵埃與氣體的大騷動，形成強而有力的漩渦，並發出數千至數萬度的高熱，如同急切的求救者，向太空發出SOS信號的X線和電波。

▼天水學家不斷觀測宇宙星球所發出的X線做深入的研究，以探求宇宙的奧秘，終於在一九七〇年，他們發現了博薩（Pulsar）這種奇異的天體，於是四十年來無人問津的黑洞論，再度引起世人的矚目。博薩能發出規律的X線，並以每秒二十次的速率快速轉動，如果它是宇宙中普通大小的星球，想必早已因離心力過強而瓦解粉碎了，這樣說來，博薩必是一個體積很小、密度很高的星球囉！也就是說它可能是位於黑洞附近，將被吞沒的星球狀態。

▼現在已發現了數十個類似博薩的星球，它們的大小通常只是太陽的十萬分之一，它們只要稍微再受到數分之一的壓力可能就會變成黑洞的犧牲者。

然而類似黑洞的星球，已在御夫座的δ星，以及天鵝座的X－I星附近被發現。它們的重量約是太陽的三倍，但天文學家仍無法看見它們的形態，只是確定了X線的確是從那邊發射出來的，這是一種永遠黑暗，無法透視其內部的神秘星球。

黑洞Ⅱ

41

宇宙間是否存有阻礙視線的物體，使我們無法看見全部的星星！

▼晚上當你抬頭，看見天空疏疏落落的星星時，是否曾懷疑過暗無星光的部分是什麽呢？

如果你認為天空黑暗的部分就沒有星星存在，那就錯了，因為人眼可見的星球只有六千個，但廣大的銀河系是由無數的星球所組成的，六千個只是銀河星球數的一小部分，至於中心部分，肉眼是看不見的。假設地球到銀河中心的距離是十，我們人眼可見的，大概是在距離三以內的星球吧！

▼如同地球上攔阻陽光的煙霧和雲層，在宇宙中也有不少的物體，阻礙人類的視線，使我們無法看見全部的星球。這些物質，在天文學上稱為「黑暗星雲」。如果你把太陽表面上的黑子比喻為痣，那麼「黑暗星雲」就是美麗星河的破壞者「黑斑」或「雀斑」。

▼在還不了解「黑暗星雲」的真相以前，人們以爲

宇宙是處於沒有塵埃與氣層的真空狀況，所以流行著各種不同的說法。約在十八世紀末期，美國天文學家赫卻爾（Herchel）認為天空黑暗的部分就是銀河的裂痕，從這些裂痕中，必可透視外太空。後來又有霍爾寫了一本『黑暗星雲』的書，告訴人們某星球上住有以太陽能為生的高等動物，牠們為了吞食太陽能而結隊來犯，於是造成了「黑暗星雲」。

▼但是，黑暗星雲並不都是黑暗的洞穴，有的會因後方陽光的照射，而現出各種有趣的形像。例如獵戶星座（Qrion）的馬頸部星雲，形狀有時很像積亂雲。至於蛇夫星座，則會顯現清晰的S形曲線，且著名的南十字星有時也像個煤炭袋，所以有「煤炭袋」之稱，它是漁夫出航時的最高指標。

▼這些都是「黑暗星雲」的籠統說法，真正值得注意的，是近世的最新發現……我們慢慢再談吧！

黑暗星雲 I

42 「黑暗星雲」是塵埃的集合體，那麼人體也是宇宙塵埃的組合嗎？

▼宇宙絕不是真空體，至少我們已知道其中分佈著遮擱星光的「黑暗星雲」，據推測，黑色星雲可能是恆星或行星的故鄉。

黑暗星雲是因分佈在宇宙中的氣體和塵埃聚合而成，如果經過收縮、硬化後便可形成星球或行星。換句話說，黑暗星雲就是星球誕生前的雛型。

▼你不要誤會「黑暗星雲」是和地球大氣中所見到的雲一樣，因為它們是風馬牛不相及的兩種物質。黑暗星雲的體積相當龐大，若想以每秒三十萬公里的光速通過一個較小的黑色星雲，可能要花費數個月的時間，至於較大的星雲，那就得用去十多年的光陰了。現在你應該明白「黑暗星雲」是比太陽系大好幾萬倍的巨大星雲。

另外一件更驚人的發現，是由一九七八年諾貝爾物理獎得主威爾遜和皮里斯所提出的研究報告，他們發現構成星雲的塵埃極為細密，大小約比可見光波長還小〇

倍。

・〇〇〇一公釐，但是整個星雲的重量卻是太陽的二百

▼以紫外線、紅外線或電波來測量通過雲層照射到地面的弱光成分，發現它們是由氨、水、甲醛、一氧化碳、甲醇……等將近五十種的物質元素所構成，相信將來還會有更多的物質分子陸續被發現。我們相信這些複雜的物質組成，已足以構成星球的誕生了！

▼宇宙中的塵埃和氣體藉著旋渦式轉動的強大力量聚合起來，密度逐漸增高，成爲黑色固體，這就是「黑暗星雲」。銀河系中有很多黑暗星雲，其中密度較高的，會逐漸形成新的星球。看來這些星空的阻礙者，真是神秘的物體。

▼綜合上面的說法，我們知道無論是太陽或地球，至於至高的「人體」，恐怕也只是宇宙中渺小的浮游物質它們原始的面目不過是在宇宙中浮游的塵埃和氣體，至吧！

黑暗星雲Ⅱ

43

傳說使人類惶恐不安的「日蝕」，就是魔鬼的惡作劇，以及天神憤怒的象徵。

▼現在我們都知道，日蝕是由於月影遮蓋了太陽光所造成的奇觀，但是在科技懵懂的時代，人們認為日蝕就是凶訊的徵兆。

新約聖經中說耶穌受刑之時（中午十二點至下午三點），天神大怒，而使天地黑暗。又在希臘歷史學家希羅多德（Herodotos）的著作中也曾提到，當美迪亞（Medeia）與李迪亞發生戰爭時，天空突然轉暗，使他們無法斷斷續續作戰。除了這些，還有許多類似的神話傳說，但以今日科學的眼光來分析，我們可以很正確的判定，這可能都是「日蝕」所造成的巧合。

▼古代，人類最害怕的就是日全蝕，然而太陽足足比月球大四百倍，為什麼它的光線會被月球所遮蓋呢？事實上這是很難得的自然景觀。因為地球、月球與太陽間以一對四百的距離比例重合為一直線時，對地球上的居民而言，月球和太陽的體積大小大約相同。這時，月球將後方的太陽完全遮蓋，造成了日全蝕的現象。這種

現象在古代是引起民衆畏懼的主因，但今日則成為天文學家研究星球的主要課題，只要能看見日全蝕，不論是南極或沙漠，他們都樂意前往一睹究竟。

▼觀測日蝕，能得到什麼新知識嗎？或許你以為太陽只是一個發光的球體，但你卻不知道在這個球體的外側，環繞著一層約有太陽半徑一—二倍厚度的日冕（corona），日冕層內還噴著比地心溫度高好幾十倍的紅焰，並時時產生爆發現象，放出氣體。

▼日冕層的形狀會因太陽活潑的程度而變化，當太陽燃燒劇烈時，它會均衡的向外圍擴展；燃燒緩慢時，則會向兩端延伸。變成橢圓形。所以只要觀察日冕的形狀，就可知道太陽活潑的狀況。

▼但是平常，由於陽光太強，奪去了日冕的光芒，所以無法清楚分辨日冕層，只有等日全蝕時，人眼才能看見。近年來，天文學家利用特殊的望遠鏡，造成假日蝕，來探測日冕，但仍無法達到理想的目的。

黑太陽

44 太陽表面比地球龐大的黑點究竟是什麼？它們真的是不吉祥的物體嗎？

▼很久以前，就有人對太陽表面的黑色斑點產生疑問並進行研究。早在紀元前十二世紀，中國人便發現了它們，並稱之為「黑子」，至於希臘古史也留有相關的記載，但是「黑子」在人類天文學中終於是一個解不開的謎。有人說那是環繞太陽的星球陰影，也有人說那是太陽四周光雲的裂口，直到近二十世紀，「黑子」的真相才得到解答。

▼太陽表面溫度較低的部分就是「黑子」，但它們的溫度絕不低於四千度，只是與周圍六千度高溫相較之下，它們的確是「低溫」黑暗的部分。「黑子」的形狀和分佈情形都表示了太陽燃燒的狀況，換句話說就是「太陽的表情」。你相信這種說法嗎？

▼據觀察，在「黑子」周圍，頻頻地發生突然的爆發，並噴出紅色巨焰以及白色高溫氣體，這些現象證明在「黑子」的四周，就是太陽表面燃燒最劇烈的部分。

所以，只要觀測「黑子」數的多寡以及形狀變化，便可間接得知太陽活動的狀況。

▼地球與太陽的關係是牢不可分的，當太陽劇烈燃燒時，所發出的X線、電波等一連串的電磁波以及陽子、電子等微粒子都會湧向地面並侵害地球，使地磁遭受干擾，連帶的妨礙了指南針的正確功能，並擾亂電波反射板的電離層，使短波反射力降低，甚至中斷，也使長途通信無法進行。至於南北極上空，則會出現「極光（aurora）」（北極上空出現的帶狀彩色射光，主要為紅綠色，即稱為北極光，在南極則是類似射光），所以探測太陽的「黑子」，是今日天文學家不可忽略的要務。

▼經長期的探測，我們知道，太陽燃燒的速度，絕不會突然改變，但每經十一年，它的「黑子」會增加，而顯得特別活潑。此外，每過七十八年，還有一個大周期，有人認為這些周期會直接影響地球的氣候，但到目前尚沒有明確的證據。

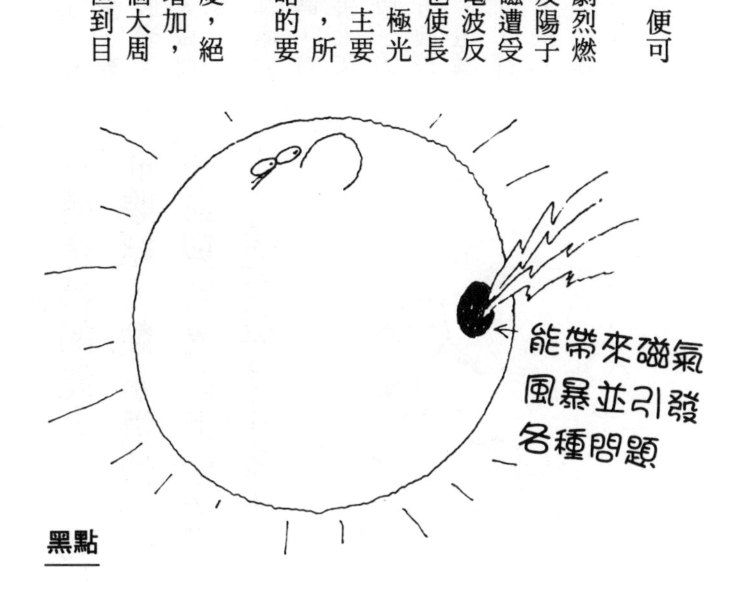

黑點

45 具有奇妙的能力，能賜給人類永恆的生命與時光的造物主——黑石板是什麼？

▼你看過『二〇〇一年宇宙之旅』這部電影嗎？根據阿薩西・克拉克的科幻小說改編而成的幻想電影，被喻為「克拉克的聖經」，他神妙、難解的幻想，改變了造物主的形象，現在讓我為沒有看過這部電影的人做簡單的介紹。

▼搭乘太空船登陸月球的佛羅意特博士，在某處火口發現了奇怪的黑石板，當黑石板受到陽光照射時，會發出非常強烈的磁力線，博士立刻將這項發現轉告太空探測站，這時，一批優秀的太空飛行員正駕駛著原子力火箭「發現者（Discoverer）」，朝著磁力線的方向飛向木星，展開艱辛的太空探險，在飛行期間，由於電腦哈爾的叛亂，使全船人員險些喪命，但由於衆人的才智與團結，終於渡過了所有的困難險阻，安全抵達木星。

在木星上他們發現了……？跟著三十六個衛星一起繞行木星的，正是和月球上發現的黑石板完全一樣的物體。然而，這就是通往宇宙超空間的神奇「星門」。在驚讚之餘，有一位太空飛行員利用黑石板的轉化力量，得到了可以在宇宙中自由飛翔的永恆生命，並回到地球。

▼看完了這段故事，你是否依然對「二〇〇一年宇宙之旅」所談論的事感到不解？你不用著急，因為當時這個片子上映時，未必有人了解其中的奧秘。電影中的黑石板，是一塊長寬各四十公分的立體方柱，它是能以高度轉化，製造超級宇宙人的宇宙爐，所以堪稱為「生命之母」，也是真正的宇宙造物主——上帝。

▼電影中告訴我們，使四百萬年前的人類祖先——近似類人猿——具有製造和使用工具的能力，以及生存意識的就是「黑石板」，而使太空飛行員進化成超人的也是「黑石板」。因此統理生物進化以及所有生命體的宇宙真神就是——黑石板。

▼如果宇宙中真有「黑石板」的話，那真是太有趣了！人類必須改變所有的宗教思想……但這實在是荒謬的理論。

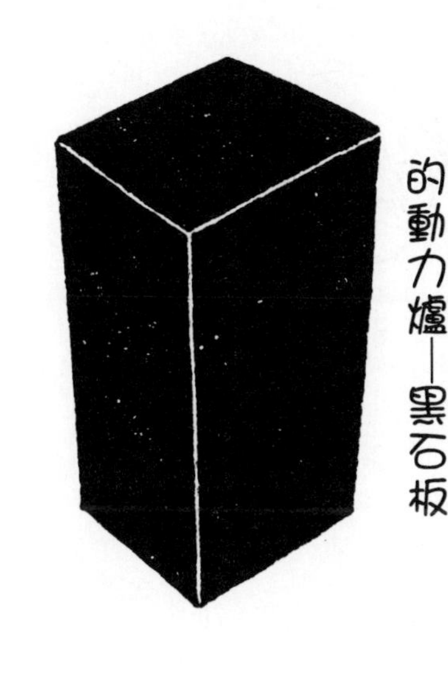

黑石板

46 顏色愈黑的雲，愈能帶來滋潤大地的雨和雪。

▼「風雲變色」是夏天雷陣雨的前兆。為什麼下雨前天色會突然轉暗呢？造成這種現象的主因是濃厚的低空雲層，其中以漆黑一片的亂層雲最具代表性，但是造成雷雨的卻是積亂雲。

▼當雨雲（也稱亂雲）沿著山脈上升時，因受到低氣壓或氣溫急劇降低的影響，便形成雨滴降落地面。

亂雲是由雲朵組合形成的，當它達到一定的高度時（距地最高達五千五百公尺，最低約七十公尺）就成為厚密的暗黑色雲層，在雲層的最下層，不但會形成雨滴下降，有時還會有打雷以及下雹的現象。

▼雲粒的直徑約是〇・〇一公釐，而雨粒則是它的二百倍。為什麼雨粒體積會這麼大呢？雖然各家說法紛紜，但最值得採信的是「冰晶說」。

▼「冰晶說」認為，雲層逐漸厚積以後，在零下二

十度的低溫時，內部水滴就凝結成小冰粒，也就是「冰晶」，但是水滴凝結的程度卻參差不齊，通常水粒在零下十度的低溫狀態下仍無法凝結成冰晶。

因此，直線上升的雲朵構造可分為冰晶部、水粒部，以及冰、水混合部三層。

其中冰、水混合部的水滴，會不斷的蒸發，使冰晶繼續擴大，最後，就成了雪花降落下來。如果雪花降落時又吸收了周圍的水粒，增大冰晶的體積，便能以「雪」的形態安全降落地面，但如果地面上空氣溫較高，冰晶就會溶化成水滴，以「雨」的形態下降，這就是雨、雪的形成與變化過程。

黑雲

47 想表現瀟洒的個性或不屈的意志，「黑」是不可缺少的！

▼我們都知道「黑」具有各種不同的意義與功用，單就色彩感覺來說，黑色具有縮小實物體積的功能。所以，一般體態肥胖的演藝人員，都喜歡穿著黑色服裝，藉著黑色的特殊作用，帶給觀衆苗條、修長的印象。如果較胖的演員又喜歡穿著黃色、橙色等膨脹色調的衣服，那麼不論他所擔任的是輕鬆或哀傷的角色，都會給人笨拙、不生動的感覺。

▼如何才能正確的使用「黑色」來裝飾自己呢？如果你以V字領運動衫配合黑色牛仔褲，或在黑色套頭衣服外面罩上一件棉布背心，都會顯得格外瀟洒。但身材矮小的人，如果穿著黑色衣服，則會顯得更為瘦小，除非妳想強調嬌小玲瓏的柔弱美，否則是得不到完美效果的。此外，衣服的長短也是值得注意的事項，因為體態嬌小的妳，再穿上過長的黑色衣服，豈不成了「小企鵝

」，讓人笑話嗎？

▼黑色能有效的表現堅定、強烈的意志，並已廣泛的運用在電影上，例如在『木馬屠城記』中大戰特洛伊（Troy）的希臘神將阿契里斯（Achilles）便是穿著黑色鎧甲，配帶鋼製黑色護腿的勇士，他的穿著與造型，成功的表現了剛強、有力、不屈不撓的堅定意志與勇氣。

▼最後，我們要談的就是魔術師的黑色燕尾服，表演者運用相當高明的手法，製造舞台的特殊效果，以微暗的燈光配合黑色的禮服，使人們眼中的魔術師變得格外清瘦，並增加幾分神秘感。

看，魔術師摘下頭上的紳士帽，取出白手帕，一隻可愛的鴿子就出現了，這是多麼靈巧、俐落的手法。但事實上，它卻是利用人眼的錯覺所造成的欺瞞之術，所以在黑色燕尾服中必大有文章。

黑色禮服

48

黑潮是缺乏食物與氧氣的洋流，所以魚兒必須辛苦的覓食。

▼被炙熱的太陽晒得黝黑、健壯的漁夫們，正伸展著有力的雙臂追捕隨著黑潮游向太平洋北方的鰹魚群。魚群中除了鰹魚外，還有金槍魚、鰤魚、鰛魚、青花魚等，牠們都是追隨黑潮迴游的魚群。黑潮中是否含有大量的養分，否則為什麼會有這麼豐富的魚類呢？事實上正好相反？它是最貧瘠的洋流。

▼洋流為什麼會流動呢？這和地球自轉以及鹽分的濃度有關，但最主要的還是海水溫差所造成的對流現象。位於赤道附近的海水，由於陽光強烈照射的結果，使海水溫度上升，開始在附近海面流動，進而向極地前進，這就是「暖流」。暖流因日照，促使水分大量蒸發，於是海鹽濃度增高；黑潮就是來自赤道的暖流之一，在其二百公尺深度的海水中，含有百分之三•四的鹽分，水溫約在十五度以上，營養鹽分貧乏，色黑，但透明度極高。

▼黑潮由於水溫暖熱，濃度過高，且缺乏養分，所

以不適合魚類養料——浮游生物的繁殖。而且，夏季海面水溫會升高到三十度，因此水中的氧氣含量也相對的減少。這就是說，水溫越高，溶化的氣體量就越少，這種物理學說你聽過嗎？現在好好的牢記在心裡。

隨著黑潮游動的鰹魚、鰤魚因無法從黑潮中得到足夠的養分，所以經常游到多生物的近海地帶捕食，等飽餐後再回到黑潮中，繼續旅行。

▼與黑潮相對的，就是來自北方，經由日本東岸南下，含有豐富的極地雪溶水的寒流。寒流是水溫低、鹽分少、養分多的洋流，它是鱈魚和鮭魚的豐富食堂，性質與黑潮完全相反。

寒流與黑潮，在日本東方海面交會，藉著寒流中豐盛的養分、氣體，以及黑潮中溫暖的水流，造成了浮游生物的最佳生長環境。於是，魚類群集在這裡覓食，會合了黑潮中的鰹魚、金槍魚，中間的鰛魚、青花魚、鰤魚，以及寒流的鱈魚、鮭魚、秋刀魚，日本東方海面成為世界大漁場之一。

黑潮

49 破壞自然生態平衡的不祥之物——黑魚。

▼鯉魚、鮎魚、烏頰魚等都屬黑色魚類，但你知不知道還有一種就叫「黑魚」的黑色魚類呢？或許你不太清楚這種魚，因為牠直到最近才受到垂釣者的注目。

我們知道「黑」是恐怖和不祥的色彩，因此「黑魚」不僅表明了牠微暗的膚色，更強調了牠可怕、兇猛的習性。

▼黑魚喜歡住在混濁的水中，通常五月到七月間，牠們會在水草茂盛的池塘或池沼中產卵，並由雌魚和雄魚合力以水草築成簡單的浮巢。在小魚尚未長成之前，雌魚和雄魚緊緊的守在巢邊，寸步不離。如果有不速之客想侵害魚卵或小魚，牠們便會猛烈的攻擊敵人。

▼垂釣者利用黑魚的特殊習性，以青蛙為餌，通常可釣到身長六十公分左右的肥大黑魚。現在，讓我把他們的秘訣偷偷的告訴你，你先抓好青蛙，再用魚鉤鉤住

牠的臀部，然後在池塘邊找一個多水草的地方，「撲通」放下釣鉤，讓青蛙在水中游動。

這時，黑魚不但聽見，也看見了跳下水裡的青蛙，為了保護牠的下一代，黑魚便向青蛙展開攻擊，等牠一口吞下青蛙時，牠就上鉤了！

▼黑魚除了兇猛的習性外，還有另一個特性；當你把黑魚放入水槽中，並用魚網罩住水面，使黑魚無法游出水面呼吸時，牠會很快地死亡，如果你將牠撈出水面，只要空氣中有足夠的濕度，能保持魚體表面的濕潤，牠仍然可以活好幾天。

▼黑魚的生命力很強，又沒有天然的敵害，平常以青蛙和其他魚類為食，生殖期間，也捕食池塘和泥沼中的其他生物。因此，牠是自然界的殺手，也是破壞生態平衡的恐怖魚類。

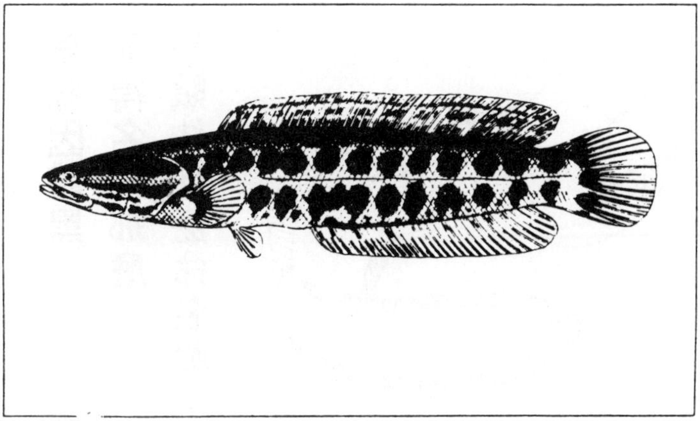

雷魚

50

烏鴉因體黑而得名，那麼烏賊依什麼命名呢？

▼烏就是黑的意思，烏鴉因毛色漆黑而得名，但烏賊則因為能吐出黑墨而得名，烏賊的英文名稱和拉丁學名都是sepia，這不僅代表烏賊本身，也代表了烏賊吐墨所製成的顏料；雖然烏賊的吐墨可用來製造顏料，但它真正的用途是什麼呢？

▼與烏賊同種的章魚體內也有黑墨的構造，但章魚吐出的黑墨會在海中像煙幕一樣的擴大，而烏賊藉以分散敵人注意力的黑色分泌物卻是塊狀的黑墨。當牠吐出黑墨時，立刻以噴射式游動逃離險境，前往安全之地，這的確是相當高明的分身術，據生物學家表示，章魚製造的黑墨煙霧並不是「障眼法」，而是痲痺敵人嗅覺的利器，或許烏賊吐出來的墨粒，也具有同樣的功用，這些黑色素含有豐富的物質，竟然具有奇異的特殊防衛效果，真令人難以想像。

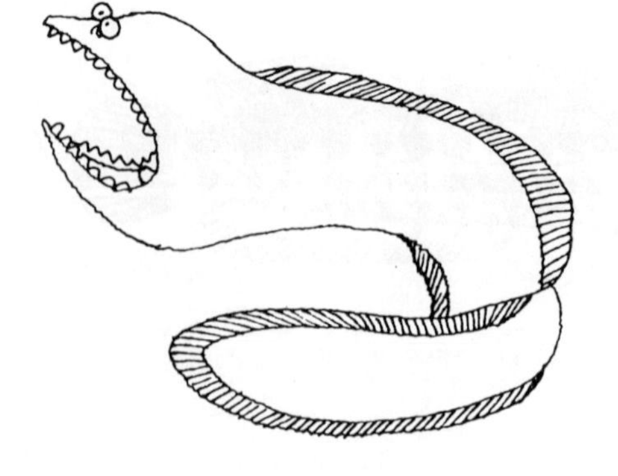

▼烏賊屬軟體頭足類生物，身體在上，頭足在下。牠有十條腿，比章魚多了二條。

▼烏賊的腿中有兩條較長的，除了能像人的手臂一樣捕抓魚、蝦外，還兼有生殖的功能。通常，雄烏賊用這兩隻「長手」取出精子，使它們在雌烏賊體內與卵結合，成為受精卵後排出體外，以繁衍下一代。

▼我們常吃的尤魚，是由烏賊同類的柔魚所製成的，尤魚產在日本沿海一帶，春夏時北上，秋冬則南下。牠們白天不游動，只有在夜晚和黎明前才成群覓食，因此，漁夫們必須趁著尤魚最活躍的夜晚，帶著照明器具出航，當柔魚看見燈光時，便會群集到燈光下，這時，漁夫以矯捷的身手撒下魚網，高興的滿載而歸。

烏賊

51 由雄性變成兩性，最後卻又變成單性的黑色魚類！

▼烏頰魚是黑色鯛魚的極品，鯛魚因肉味鮮美，所以廣受大衆歡迎。在棘鬣魚、烏頰魚、石鯛、櫻鯛、念佛鯛、鮓、剝魚、瘤鯛、綠鮇、金眼鯛、庌鯛、魴、天竺鯛、赤鬃、黃鯛……等等繁多的魚類中，包含了與竹麥魚、鬼鰧很相似的杜甫魚類，以及蝴蝶魚類、遍羅魚類，當然其中也包含了鯛魚類。現在請用你的常識，由上列魚類中指出屬於鯛魚類的魚。但千萬要小心，別被字面上的「鯛」字欺騙了！

▼烏頰魚屬鱸目鯛科魚類，性貪食，不論是網蝦、櫻蝦、礁芽，或是蕃薯、橘子、西瓜……等食物，牠都不加選擇，一律吞食，是釣者垂涎的美味魚類。但是烏頰魚非常機靈而謹慎，不容易上鉤，即使不幸落網，也會設法逃脫，因此不是老練的釣者，絕無法捉到，只能望魚興嘆。

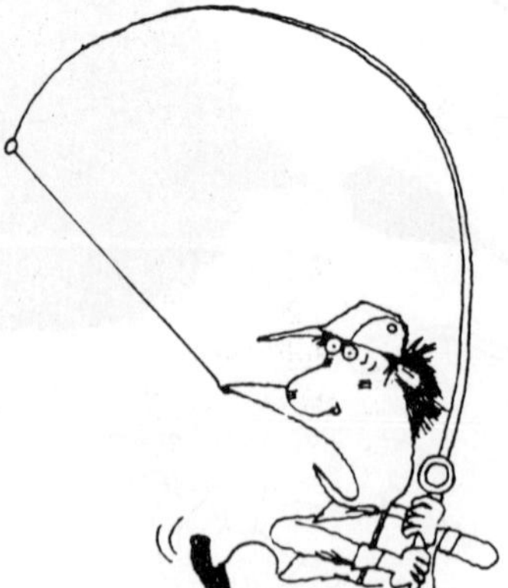

▼烏頰魚的背部是黑的，但腹部卻是灰白色，所以也有人稱牠為「白鯛」。剛出生的烏頰魚身上有三～五道橫紋，等長到十公分左右時，會變成兩性同體，雖然精巢內側有卵巢，但牠們多半屬於雄性。五、六年後，長約三十公分的烏頰魚又由雄性轉化為雌性。成魚利用堅硬強壯的牙齒咀嚼海中的沙蠶、海膽、貝類等較硬的食物，並從中攝取養料以維持生命。

▼烏頰魚因皮層中含有多量的黑色素，所以呈現黑色體膚，尤其以住在透明海水中的岩石地帶者顏色最黑。如果把活生生的烏頰魚放入冰箱冷卻，牠皮膚中的黑色素會逐漸收縮，而平常隱藏不見的紅、黃色素反而增強，但如果魚體不夠新鮮，則會變得灰白無光澤，所以你在市場選擇鯛魚時，要特別注意牠的膚色。

（答案：鯛魚有赤鯮、黃鯛、棘鬣魚和烏頰魚。）

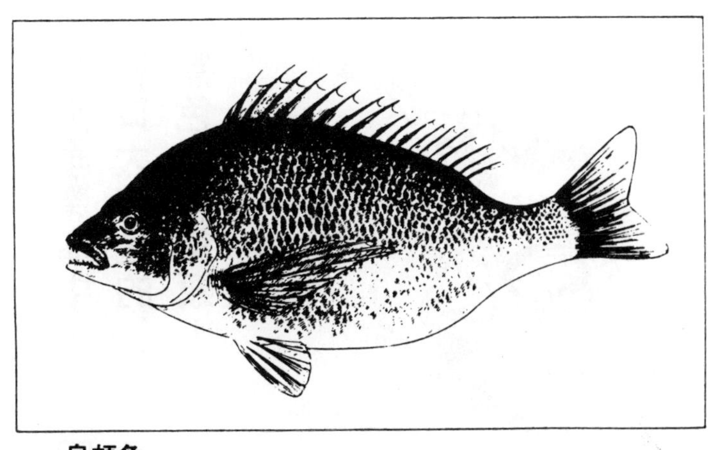

烏頰魚

52

在黑暗深海中，有口大如盆的黑色稀有魚類！

▼提到「黑暗世界」你可能馬上聯想到『幻想宇宙』或『地底王國』等科幻小說中的神秘領域，但你卻忽略了在我們的周遭就有一個深而大的「黑暗世界」。

仔細想一想環繞在我們四周的海底世界吧！當我們潛入海中約十～十五公尺深時，仍能清晰的看見海中的每一件物體，這裡到處是藻類、魚類和各色的海中生物，色彩繽紛，令人眼花撩亂，就像天上樂園，更不亞於花園風光，但如果繼續深入到八十公尺處，人眼便無法分辨物體，只覺得一片漆黑。

▼事實上，在海深一千公尺的地方，仍然透著極其微弱的光線，只是人眼絕無法靈敏的感受到這些光線的存在，這裡不但陰暗無光、寒冷，且水中氧氣含量缺乏，沒有植物，是一個荒涼缺少生意的區域，但在這種惡劣的環境中卻仍有適應力特強的動物——棲於二百公尺以下黑暗深海的魚類。

▼深海魚中，以住在一千～二千公尺的魚類最為特殊，牠們具有與衆不同的生態和食性。例如黑鮄魚，不

但全身漆黑，還有一個血盆大口和像汽球的胃。至於囊魚，口部則佔去身體一半以上的體積，並能將上面落下來的食物全部積存在腹部。由於四周缺乏食物，牠們對淺海掉落下來的食物無從選擇，更有趣的，牠們秉賦了特殊的求生能力，可以呑下比自己體積大一・五倍的物體。

▼住在黑暗深海中的同種魚類，似乎很少有碰頭的機會，所以爲了繁衍後代，只好從小養成「死纏」的功夫。就拿鮟鱇來說吧，雄鮟鱇從小緊跟著雌鮟鱇，依靠她攝取的食物為生，直到長成交配後產生下一代為止。但這種現象只發生在黑暗深海的黑色魚類身上，至於一千公尺以內較淺的魚類，因身上具有發光器可以做為彼此間的通訊號誌，所以不必採用這種方法，例如角鮫、裸鰛就是。

▼水深一千公尺以下的魚，雖有少數眼睛尚未退化，但身體卻多半是黑色的。縱然五百公尺深的海魚多呈紅色，但在無光的深海中，紅色也無異於黑色了。

深海魚

▼歌曲中經常用黑花比喻沒有結果的戀情，漫畫中也經常出現黑色鬱金香和黑薔薇，究竟世界上是不是真的有黑色花朵呢？這個答案是肯定的，絕不是憑空杜撰的。想想「Night of the Queen」夜之女王，不就是指鬱金香嗎？還有著名的高山植物——黑百合，它是非常樸素的黑色花朵。但因花朵會發出惡臭，招來蚊蠅，所以一點也沒有羅曼蒂克的氣氛。

▼黑色花朵是不是屬純黑色呢？專家們用酒精分析花瓣色素後說，鬱金香花瓣是紅紫色，玫瑰花只含有紅色素，根本不含黑色素。

▼既然黑花不含黑色成分，那為什麼看起來是黑的呢？原來這是因為花瓣色素含量過高，且花瓣表面有天鵝絨式摺紋，使花面產生陰影。因此，人們站在不同的角度來觀賞它，便會看成黑、紅、紫等不同的顏色。

黑花——代表沒有結果的戀情。

53

▼花的色素可分為三種。一種是紅、藍、紫色花中含量最多的花青素（anthocyan），例如，醃漬酸梅用的紫蘇葉以及草莓、櫻桃等都含有大量的花青素。它們隨著色素量的多寡及金屬離子的種類，也就是酸鹼度的差異，顯現黑、紅、藍、紫等各種不同的花色。第二種就是大多數白花中都有的黃色鹼性花黃素（Lipochrom），最後一種則是紅蘿蔔中含量最高的葉紅素（carote-ne）。

▼花朵藉著鮮艷美麗的色彩來吸引昆蟲，利用牠們傳送花粉，達到繁衍生殖的目的，但是那些色彩暗淡，不受蜂、蝶喜愛的黑色和綠色花朵，似乎完全失去了「花」的功能，因此，以黑花來比喻沒有結果的戀情，實在是最恰當不過的。

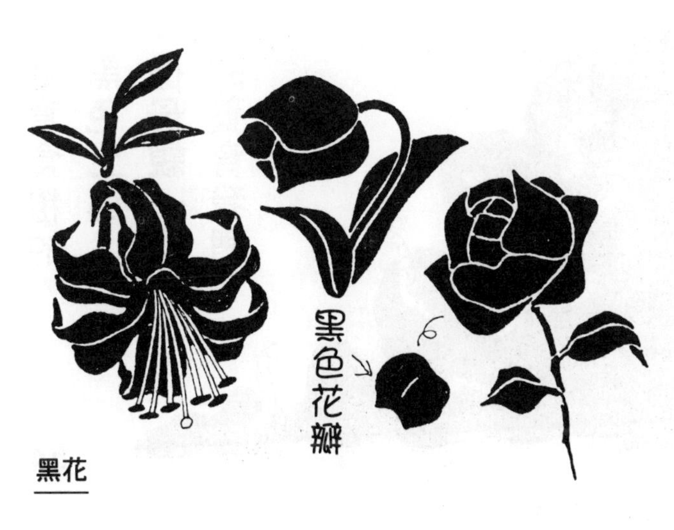

黑花

54

蘊育食糧的黑色土壤，像母親一樣的養育我們。

▼烏克蘭（Ukraine）以及美國、阿根廷、中國等都是世界主要穀倉，它們之所以能大量生產農作物的原因有一個共同的特點，那就是土質。這些使農作物快速成長的不是普通的黃土，而是含有豐富養料的黑土。

▼黑土是由泥土混合大量腐爛的動、植物屍體所造成的。凡是植物茂盛的地方就會產生黑土。因為植物的腐莖和落葉堆積在地面後，自然就引來了蚯蚓、蜱、壁蝨、跳蟲等小動物，以及細菌、黴菌等微生物，他們群集在這裡生生不息，使物體腐敗滲入土中成為養分，而形成肥沃的黑土。

▼植物必須在陽光充足、水分適量、養分豐富的環境中，才能達到完全的成長。然而，要永遠保持這樣的基本條件是不容易的。試看海岸的沙地和黃色的黏土，不是水分容易流失就是排水情況不良，這都不適宜作物的成長。我們所要的是水分不易流失，排水性能良好的土質，而能滿足這種矛盾條件的就是團粒構造的土質。

團粒構造不是土堆的集合，而是由細小的土粒合成像湯圓一樣的大顆粒後，再組合而成有間隙的土壤，這些間隙不但充滿空氣，也能保存水分，水量過多時，又可從間隙排除；這種適合於植物生長的土壤構造就是團粒構造，也就是黑土的構造。

▼為什麼黑土是植物生長的最佳土壤呢？原來在黑土中有許多蚯蚓，蚯蚓能將腐敗物質與土壤同時吃下肚子，在體內經過混合作用後又排出體外，這些糞土中包含了被分解的腐質和無數的微生物，形成黏稠狀態，使每一個大土粒結合在一起，又因蚯蚓經常在土中穿梭往返，使土質鬆軟。於是，黑土的團粒構造更臻健全，成為最肥沃的土壤。這樣一來，地上的植物增加了，落葉朽木也增加了，於是蚯蚓、微生物和其他昆蟲都來了，動植物生死的循環增加了這塊土地的營養素，成為農作物的樂土，人類食糧的培植地；然而這一切的恩賜，完全要歸功於蚯蚓、微生物，和動、植物的合作。

黑土

55 將被文明湮沒的黑暗大陸。

▼你知道黑暗大陸在哪裡嗎?它不是幻想中的黑暗星雲大陸，而是古老的非洲，也就是英文所謂的dark continent。

▼非洲大陸總面積約為三千萬平方公尺，是地表第二大陸塊，現人口約在三億以上，且都市林立；但遠在十六世紀以前，這裡卻是一個人跡未至的原始叢林，因此，歐洲人稱它為文明之光無法到達的「黑暗大陸」。但事實上，早在十五世紀時，歐洲各國就已經注意到這塊大陸，並展開積極的侵略政策，十六～十九世紀，他們更大量捕捉非洲土著，送往歐洲各地充做奴隸，這一批遠離家園、失去自由的可憐黑人，竟多達六千萬名，因此，對非洲居民而言，這是一個慘痛的「黑暗時代」。

▼雖然非洲尼羅河流域自古就有高度的埃及文明，但因大陸屬熱帶氣候，沙漠、草原與森林遍佈，始終是

右：斯坦萊
左：李文斯頓

野生動物的王國。而且，尼羅河、剛果河、尼日河（Niger）等各大河川中，盡是瀑布和急流，更使人無法深入探測，於是加強了「黑暗大陸」的印象。

▼首先向歐洲人揭發「黑暗大陸」之謎的是十九世紀的英國探險家李文斯頓，他是一位精通醫術的教士，為了傳播基督教而橫渡非洲大陸，在這裡，他發現了三比西河（Zambezi）和維多利亞瀑布等未著人跡的原始川流，於是激發了他寫『南非傳教與行跡』向歐洲人介紹非洲大陸的動機，但是在一次往尼羅河水源地及坦干伊喀（Tanganyika）探險時，他不幸失蹤了。

▼為了尋找李文斯頓，著名的探險家兼記者——斯坦萊，也進入叢林來了，他很快的找到了李文。對於這次的探險，斯坦萊以記者獨特的觀點與體認寫了一本『橫越黑暗大陸』的精彩故事。

56

東京是黑惡魔的樂園。

▼到處可見霓虹燈閃爍不停的東京銀座，卻是黑毛動物的樂園。因為這裡不但有好吃的食物、溫暖的房間，還可以自由自在、不受拘束的過日子，是人間不可多得的天堂樂土，但你不要誤會，「黑毛動物」不是頭上長黑髮的人，而是可怕的玄鼠。

▼建築物林立的日本大都會——東京，由於經濟繁榮，餐飲事業快速成長，於是成為巨型玄鼠的大樂園。牠們在下水道自由出入，吃餐館中殘餘的菜餚，過著豐足的生活，尤其是夜半時分，玄鼠的大敵——人，都已安眠，更使牠們猖狂大膽，為所欲為。在「樂園」中長大的玄鼠，身長約有二十二公分，尾巴約有十九公分，體重不下五百公克，其肥大有如貓兒。

▼當然，這些玄鼠不但破壞環境衛生，還經常咬斷電線，甚至奪走幼兒的性命，真正是可怕的「黑惡魔」。

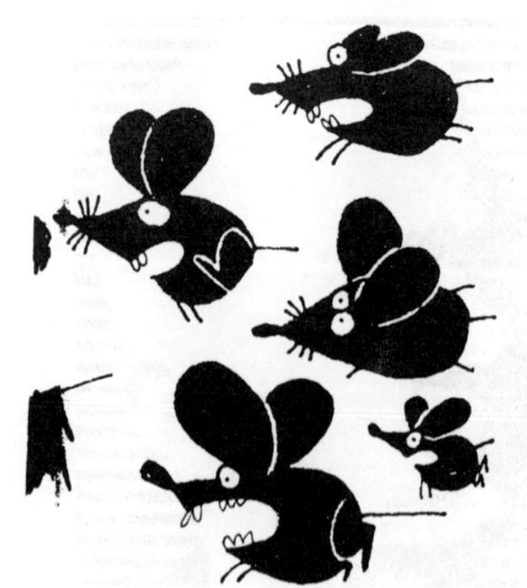

今天，我們仍然喜歡以老鼠來比喻在黑暗中鬼鬼祟祟偷人東西的賊，可見這兩者皆是破壞社會安寧與人類幸福的「寄生蟲」。因此，人人當時時警惕自己，千萬不要做一個見不得光的「人」。

▼雖然老鼠給人很壞的印象，但在日本古書中卻有為老鼠辯護的，例如『古事記』中說，當大黑主命（神名）被須佐之男命（神名）綑綁焚燒時，幸而有一隻老鼠及時援救，方才脫險；但我必須強調的是那隻老鼠不是黑玄鼠而是白鼠。

這隻白鼠因救了大黑主命，所以被封為「大黑鼠」，牠是白化的玄鼠，類似今天實驗室中常見的小白鼷鼠。雖然，大黑鼠救了大黑主命，但鼷鼠卻是人類的大恩人。這是科技文明的世界中，大家一致公認的。

黑老鼠

57 逐年減少的黑色益鳥。

▼每年到了春天，最引人注意的鳥，就是背部黑亮、尾部分叉、模樣挺帥的益鳥——燕子，牠矯捷、英俊的外形，早已受到服裝界人士的注意，因此才產生了高貴紳士出色的禮服——燕尾服。

除了南北兩極和紐西蘭之外，燕子分佈於世界各地，其中棲於溫帶和亞寒帶的燕子即是候鳥之一。

▼春天，日本處處可見燕子飛舞，牠們忙著在溫暖的季節裡築巢、產卵；但到了冬天，牠們便飛往東南亞、印度，甚至澳大利亞北部去避寒。燕子這種隨季節遷移的生活方式由來已久，可能不下數萬年；但現在似乎很難再見到以傳統方式生活的燕子了，因為牠們已逐漸適應定居的生活，不願四處流浪了。舉例來說吧！住在濱名湖附近的福山家裡，每到十月下旬至十一月這段期間，都會有燕子飛來，福山非常喜歡燕子，所以另闢了一個房間，好讓這些客居的燕子能在日本過冬，奇怪的

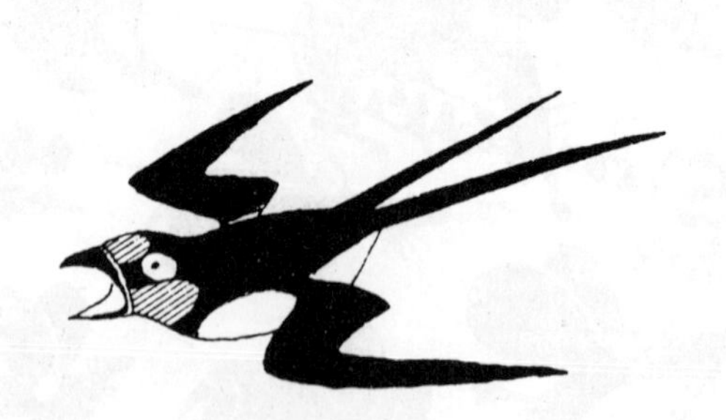

是這些燕子似乎也努力的適應定居的生活，而放棄了傳統的流浪生活。

▼燕子以害蟲為主食，牠利用扁平而尖銳的喙，流線型的體態，加上靈敏的行動和強有力的翅膀在空中有效的捕捉各種昆蟲，有時牠也停在電線上休息片刻，但卻絕少到地面上來，因為牠的雙足極為脆弱無力，所以即使要喝水，牠也是以滑翔的狀態來進行。

▼燕子不在樹枝上築巢，卻選擇了屋簷做牠的住所，牠不像一般鳥類見人就飛走，牠信賴人類，喜歡熱鬧，是人類可愛的小親親。

▼但是，燕子的數量卻逐漸減少了。人類大量使用殺蟲劑，舖設柏油路的結果，使燕子不容易再找到食物和築巢的原料，在失去生機的環境中，燕子實在無法再綿延不絕了，況且雛燕一日要吃二百頓，豈不是更難生存了嗎？

燕子

58

不吉祥的烏鴉，事實上卻是善神的使者！

▼只要一提到黑鳥，你一定會想到烏鴉，因為牠不但毛色漆黑，而且分布極廣，幾乎無處不有，無處不見。

通常，我們認為烏鴉是不吉祥的飛禽，在古老的諺語中，也認為烏鴉停在人家的屋頂啼叫，就是告訴人們，這家人將會發生不幸的事件，這些流傳，在我們心中根植，所以烏鴉自然成為不祥之物了！

▼但在『古事記』（日本古書）和『日本事紀』中都記載著，當神武天皇進軍征討大和地區不幸在雄野迷路時，天空突然出現黑色神鳥，引導大隊人馬安全到達大和地區。當然，這隻黑色神鳥就是烏鴉。因此，古時候的日本人不但不把烏鴉當做不祥之物，還視他為神的使者。

▼我們先摘下有色的眼鏡，仔細觀察烏鴉在自然界

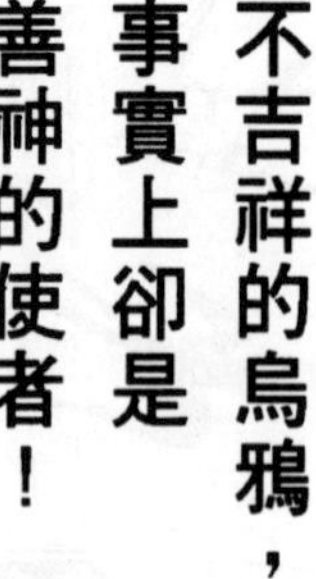

中所扮演的角色。牠是食量相當驚人的飛禽，凡是能入口的，牠從不加以選擇；從玉米、柿子等植物果實到動物屍體都是牠的美食，甚至蚯蚓、貝類也不例外。牠會把貝類啣至高空後落下，使硬殼粉碎再吃裡面的貝肉，是非常聰明的鳥類。

但最主要的是牠把動物腐屍吃得乾乾淨淨，不留痕跡，使自然界中永遠保持清潔的功績，等你知道這些事實後，你是否還忍心稱烏鴉是討厭的不祥之物呢？

▼在世界各地珍聞中，尼泊爾的「鳥葬」也是一奇，他們認為把死人切碎後抬上喜馬拉雅山去餵烏鴉和禿鷲，才能使亡魂永得安寧，這種特殊的葬禮，至今仍盛行不衰。

烏鴉

▼猩猩（Orangoutang）是住在東亞密林（婆羅洲和蘇門答臘），長肢棕毛、性情孤僻，有「森林哲人」之稱的類人猿。

而非洲的黑猩猩（Chimpanzee，又稱小人猿）和大猩猩（gorilla）則是最像人類的猴，牠們全身披著黑毛，長大後臉部也變黑色，所以有「黑猩猩」的雅號。

以往，人們以為哺乳類靈長動物的猴子與人類最大的區別，就是人能捕殺其他生物來養活自己，但這是錯誤的，根據美麗的生物學家佛洛在非洲觀察黑猩猩生態的報導中說：

「猩猩不但能狩獵、肉食，也能利用草木等簡單的工具去挖細小的蟻洞，或樹上的白蟻穴……」。

▼猩猩經常形成三十～八十隻的大團體，並推最大

59

外型猙獰的黑猩猩。

的雄猩猩為領袖。牠們以無花果、刀豆、嫩芽和樹葉為主食，但也喜歡吃其他動物，尤其是蜂蛹、蜂蜜、雛鳥、鳥蛋等，有時還捕捉同類的小狒狒，牠們的行為與人類極相似，以合作的方式捕殺較大的動物，是雜食動物之一。

▼非洲黑猩猩的生活型態不像日本猴群那樣霸道，牠們有充分的個體自由，猩猩頭目也不會搶奪部下的食物，這一點，是值得人類學習的。

黑猩猩

60

女性喜愛的「黑色毛皮」已逐漸走向絕境。

▼你見過黑貂嗎？牠和水貂的毛皮皆是女性所嚮往的衣服原料，貂皮大衣不但美觀、耐用，而且質料柔軟、光滑，是毛皮衣服的極品。

　中世紀時，歐洲男士為了滿足女性虛榮的慾望，遠到西伯利亞獵取貂皮。而日本也因西風東漸，在一九二〇～一九三〇年間，到北海道捕貂的風氣盛行一時，雖然捕貂者一年難得抓到二、三隻貂，但因貂皮價格昂貴，所以也足夠維持一年的生計。

▼貂屬鼬鼠科動物，日本貂大體可分兩類：一是生長在九州、四國、對島；一則生於北海道。牠們都是體長，短足、大耳、粗尾的動物，毛色不一定是黑的，也有黃褐色、黑褐色等不一，但不論毛色如何，尾部的尖端一定是黑褐色。

▼黑貂既是鼬鼠的親戚，身上也不免會發出臭氣，

但這正是貂類吸引異性的氣味。貂在森林中非常活躍，牠能以極快的速度在地面捕捉松鼠、老鼠和鼯鼠，看看牠溫柔的外表，真令人難以想像那驚人的狩獵技巧。

三～五月是黑貂的生殖期，一隻母貂一年可產下二～三隻小貂，小貂一年後長成，第二年便可繁殖後代，雖然如此，但黑貂的數目依舊逐年減少，這正是牠昂貴的毛皮所帶來的災害，人類不惜將自己的快樂建築在別人的痛苦上，可憐的貂類難道就此慘遭殺戮嗎？

▼黑貂大量被捕後，森林中的老鼠數量大為增加，帶來災害，為了彌補這項過失，人類不但用養殖的貂類代替野貂生產毛皮，也將牠們放入森林去消滅老鼠。

黑貂

黑色動物

61

天命使然，世上珍貴的「黑兔」已瀕臨絕跡！

▼一般的兔子都是白色長耳動物，但在日本，卻有世上難得一見的短耳黑兔。牠就是出現在紀念郵票上的——黑鼲。

▼黑鼲兔體小而色黑，耳朵略圓，身體微胖，模樣不甚雅觀，但牠卻是生物界中的珍品。一九二一年，牠被譽為是「天然紀念物」，一九六三年，又被指定為「天然特別紀念物」，受到世人的重視與保護。

黑鼲兔與兔類祖先極為相似，生物學家視牠為活的化石。但在全世界；只有日本的奄美大島和德之島出現過。

▼為什麼黑兔只出現在這兩個小島上呢？讓我告訴你吧！因為數百多萬年前，日本各島與大陸相連，兔子四處為生，但地殼變動後，牠們只得留在小島上，無法再回到廣大的大陸。

生態進化的結果，長耳白兔取代了大陸上的黑兔，但在小島上，因沒有強壯的敵人，所以黑兔繼續安然的生存，並進化成黑鼷兔。

▼黑鼷兔以有力的前肢在斜坡上挖穴造窟，這是牠們白天的藏身處，到了夜晚，便四出覓食，絲毫沒有生命危險。但自從人類移居此地後，他們帶來的貓、狗，甚至老鼠，都使黑兔受到生命的威脅，瀕臨絕跡的惡運。

▼人類帶來的危機，使黑鼷兔忍無可忍；最近，牠們不但吃掉野生草木的新芽，連人造林木的嫩芽，也遭受破壞，但無論如何，我們仍然要努力保存這些珍貴的活化石。

黑兔

62 充滿毒蛇猛獸的「黑色魔境」。

▼你知道「黑暗魔境」和「綠色魔境」是什麼嗎？

它就是未著人跡，滿佈密林的亞馬遜地區，這裡佔地約是日本的二十倍；四十公尺以上的巨木到處林立，它茂密的枝葉遮蔽了陽光，使較小的樹木無法沐浴在陽光中。

當你乘坐飛機來到亞馬遜上空時，你會發現那是一片綠色海洋。但如果你跨入密林一步，你立刻會察覺這是一個黑暗、潮濕，拒絕人類進入的黑暗魔境。

▼現在讓我們一起來看看「黑暗魔境」的真相。

亞馬遜密林是今日世界中唯一未經開發的地區，雖然十八世紀以來，有不少的歐洲生物學家陸續前往勘察，且發現了各種珍禽異獸，但由於年雨量高達二千～三千公釐，使亞馬遜經常籠罩在高溫潮濕的狀態下，氣溫變化小，有如一個天然的大溫室，因此保存了古老的自

然生態，許多已絕跡的古代動物，依然在此活躍。

▼像捕殺小鳥的毒蜘蛛（tarantula），地球上最大的老鼠，樹上的怪物——樹獺，以及食蟻獸、鱷魚、石龍子、大蟒蛇……等等，真是應有盡有，品類繁多。

▼對動物而言，亞馬遜密林是天然的大溫室，是熱帶的大樂園，把對來自歐洲文明大陸的人類來說，這卻是一個黑暗的魔境。二十世紀初期，德國和葡萄牙人曾先後移居亞馬遜河流域，希望開拓這一片廣大的叢林，但是都失敗了，他們所流的每一滴血汗，都因陽光無情的照射而乾涸、枯萎，施用在泥土中的大量肥料也在一陣大雨後流失殆盡，因此土壤永遠是貧瘠的，作物也永遠無法成長。

▼但是，聰明的人類絕不會輕易就向惡勢力低頭，他們正計畫在亞馬遜河流域築個水庫，相信不久的將來，「黑暗魔境」也會變成光明之地的。

黑暗魔境

63

為什麼在二萬公尺高空飛翔的無聲噴射機是黑色的呢？

▼我們常見的民航飛機大多是白色的，有時機身也塗上幾道彩色的條紋以增加美觀，但你可曾見過黑色的飛機嗎？

▼在還沒有談到黑色飛機之前，我們先來談談為什麼普通客機大多是白色的呢？

飛機除了在上空飛翔外，大多數時間都停留在機場上，為了反射日光，以免機身長期暴曬後機倉溫度過高，所以機身多採用最能反射陽光的白色，或是其他能反射光線的清淡色彩。

▼至於黑色飛機，則是運用魚類天然保護色的原理所構成，說到這裡，你是否已經了解黑色飛機的用途呢？它就是不易被發現的軍用飛機。

▼軍用飛機利用與虎、豹花紋原理相同的「迷彩色」來擾亂敵人的視線，當你由下面看它，它就如同天空

中的一份子，當你從上面看，它的顏色又與大地相同，就像是狡猾的隱形者。首先利用「迷彩色」原理，將機底塗黑的就是一九五五年由凱利詹森製造的洛克斯特U—2型美軍飛機。

▼這種飛機機身長十二公尺，機翼寬二十四公尺，是酷似滑翔機的噴射飛機，可以超音速在二萬公尺高空自由飛行。在人造衛星尚未發明之前，它已在蘇俄上空出現，並拍下蘇俄地形鳥瞰圖。

機身所用黑色塗料，是不易反射雷達電波的特製塗料，因此U—2型偵察機始終未被發現，直到一九六○年五月一日，不幸在蘇俄境內被擊落，引起各國的騷動，於是這位黑衣隱形者才公諸於世。

黑色飛機

64

鋼琴的黑鍵代表半音，但你是否聽過黑鍵代表全音的樂器？

▼在琴盤上潔白的長鍵間參雜著較短的黑鍵，這些黑鍵代表什麼呢？

通常最上等的鋼琴，白鍵是由象牙磨成，黑鍵則由黑檀製成，這是琴盤上長度不同的兩種鍵，你仔細瞧瞧，並不是每兩個白鍵中都夾著黑鍵，而是黑鍵按照一定的規律參雜在白鍵之間，它們彼此間有一定的音高，各有職守，因為白鍵都是全音，黑鍵則是半音。在Do、Re、Mi、Fa、So、La、Si、Do八個音階中，Mi、Fa、Si、Do間是半音，其他都是全音。

▼有「鋼琴詩人」之稱的蕭邦曾作了一首『黑鍵練習曲』，今已成為鋼琴初學者的必學課程。顧名思義，這首曲子與黑鍵必定有很密切的關係，原來這是一首以黑鍵為主調的鋼琴練習曲。

▼我們既提到蕭邦，就該順便提一提他生前的趣事

，據說他有一次作曲時，腦中空盪，毫無靈感，正苦思不得之際，一隻貓突然跳上琴盤，這時，琴鍵所發出的聲音，引發了他的思源，於是寫下了有名的『華麗的圓舞曲』，正因為這個緣故，這首曲子又叫做『貓的華爾滋』，真不知道這隻「會彈琴」的貓，是否感到無上的榮耀。

▼雖然鋼琴的黑鍵代表半音，但這並不表示所有樂器的黑鍵都如此。在絃琴中有一種德西馬琴（cembalo）的情況正好與鋼琴相反，它以白鍵代表半音，黑鍵代表全音。

▼此外，它們的內部構造也有分別，鋼琴內部鋼弦以木敲擊發聲，但德西馬琴則以撥動的方式發聲，雖然音量較小，但音調富於變化，在這個巴羅克式（baroq-ue）藝術盛行的二十世紀，德西馬琴確實是不可缺少的樂器。

黑鍵

65

由靈魂叫聲中所產生的「黑人音樂」。

▼提到黑人音樂，你是否會立刻想到「地風火合唱團」、史提夫等熱門歌曲演唱者，或路易‧阿姆斯壯、狄比斯等爵士樂演奏家，以及鮑比、瑪麗和亞買加的保羅等人呢？如果答案是肯定的，那你必定是一位黑人音樂的愛好者。

▼想全盤的了解黑人音樂，就必須從黑人本土的非洲音樂談起，非洲土著音樂給人的感受是強烈的節奏與豐富的音律變化。通常我們稱音的重合為和音，但對非洲音樂而言，則是特指絃律重合的部分。

近年來，黑人音樂已普遍的流行，但一般人所謂的黑人音樂多是指美國的黑人樂曲。事實上，我們應該注意的是美國之外的黑人音樂。例如古巴的頌（Son）、千里達島的卡里布梭、亞買加的雷戈、巴西的森巴，以及阿根廷的探戈等舞曲，都是特別強調韻律的黑人音樂

，這些樂曲都是十六世紀非洲黑奴所帶來的，所以饒富非洲土著的風味，後來，它們雖然在各國發展成獨特的音樂，但其特色依然保存不變。

▼可是在美國的黑奴，卻嚴禁使用土著樂器，因此，他們只能利用空香煙盒、空瓶，或洗衣板來充當樂器，唱著記憶中的歌曲，聊慰心中的悲戚。

到了十九世紀，抒發黑人辛勤勞動的歌曲出現了，二十世紀，新奧爾艮更出現了黑人的爵士樂，這種混合了美國音樂的黑人樂曲，就是美國黑人音樂的代表，至於演唱者，諸如阿姆斯壯、派克、狄比斯等都是有名的黑人歌手。

黑人音樂

66

有光的地方，才會有影子。但永遠存在的卻是歷史深烙下來的黑影。

▼任何一種物體受到陽光照射時，都會產生黑影，這是天經地義的事，但你絕不可因此忽視了黑影的存在，因為，它不但說明了許多事實，也給世間帶來了很大的影響。

▼紀元前三世紀的希臘天文學家及地理學家厄拉托西尼（Eratosthenes）曾利用黑影計算出地球的圓周，這真是空前創舉。當時，他發現每年到了夏至正午時分，陽光可直射到尼羅河旭尼（Syene）附近的一口井底。因此，他認為當時太陽必定剛好在旭尼的上空，但同一個時刻，距井九百二十公里的亞力山大城市中的物體卻會產生斜影，他由斜影得知太陽在夏至正午時分，正好位於亞力山大上空向南傾斜七度的位置，於是他運用簡單的比例式，算出了地球的圓周。其公式如下：

$7:920km = 360^\circ : X \qquad X \doteqdot 47,300km$

今天，我們確知地球的圓周約是四萬公里，雖然厄拉托西尼的發現不完全正確，但已相當接近，對於科技不文明的古代希臘而言，這項發現，是不可厚非的偉大創舉。

▼近來，外國有因高樓林立，而發生「日照權」的爭奪事件，這的確是一個嚴重的問題。對人類來說，這是新生事件，但對植物而言，這卻是多少年來的苦難，草原上高聳茂盛的巨木，遮蔽了日光，使下面的青草與樹苗因得不到陽光而枯萎，陽光是生物命脈的泉源，為了爭奪日光，人們開始向高樓所照成的陰影提出抗議。

▼但這些都在其次，真正帶給人類悲痛的是歷史所留下的陰影。

一九四五年八月，在廣島與長崎上空爆炸的原子彈所發出的強烈光線，將人與物的形象刻烙在石牆上，留下了悲慘的陰影。聰明的人類既然能發明毀滅性的爆炸物，自然也不難從牆上的影子計算出爆炸光線的焦距，但這一切於事何益呢？那影子的主人早已消逝，永遠不再回來了！

黑影

67 奪走人們的可怕死雨——黑雨。

▼雨的種類繁多，例如含有黃河砂塵的黃雨，含有海水赤潮的紅雨，以及血雨、淚雨……等，但你知道有一種可怕的黑雨嗎？你聽說過一九四五年的八月六日，日本廣島曾下了這種致人於死的恐怖黑雨嗎？

▼這一天猶如一場惡夢，一聲巨響便使廣島失去三十多萬居民。爆炸後的二十到六十分鐘內，天空落下了既黏且黑的大雨，在爆炸中心的北方與西方，這場雨一直延續到傍晚。為什麼會產生黑雨呢？當原子彈爆發時，由中心噴出高達數十萬度以上的火球，使空氣產生不平衡的膨脹而引起強烈風暴，夾雜大量炭素的熱空氣在高空冷卻而降落，就成了黑雨。

據說，當都市化成一片火海時也會發生這種現象，但是廣島所發生的情況卻不同，因為這些黑色雨粒中不僅包含了多量炭素，也溶合了許多爆炸塵。

▼在受害者中，除了立刻喪生的，直接接觸爆炸塵、熱線或放射線的，都在四個月中相繼死亡，但真正令人震驚的，卻是放射線長期以來所造成的間接影響。

▼凡是吃了含有黑雨的食物，放射能會在體內長期積存，無法排除。至於爆炸發生二年後才回到廣島的人，體內會發生白血球異常增加的現象，這些後遺症，不斷對日本人造成生命的威脅。

▼黑雨中能發出放射能的死灰，是核分裂的副產品。通常，鐳原子爆炸時只有十萬分之一能夠發光發熱，其餘部分皆成死灰，發出放射能。

今日，科技的產物例如核子艦艇、原子能發電等，都是利用核分裂來產生動能，因此，死灰的安全處理是非常重要的課題。

黑雨

68 請注意黑名單上的人物！

▼Black list，無論你的外文能力多差，相信你也該認得這個名詞，它就是「黑名單」，但你是否知道黑名單的由來呢？

▼通常「黑」代表罪惡，在這裡也不例外。很久以前英國政府為了根絕酗酒的風氣，於是將酒精中毒者的名字列在小冊子上，下令民眾不得售酒給這批醉客，這本冊子就叫做「黑名單」。後來，時日漸久，這句話又成了死語消失在人群中，直到第一次大戰爆發後，它又再度復活了；但這時候的字義卻略有改變，它不再指酗酒者的名單，而是政府新發佈的中立國商人名單，這批商人因與英國的敵國——德國交易，所以英國政府嚴禁本國商人與名單上的商人往來，後來這份名單也稱為Black list。

▼除了黑名單以外，以俗稱稱呼的英國公文書還有「白皮書」，這是十九世紀中葉英國政府普遍使用的報

告書，以及議會特用的「藍皮書」，但這些與「黑名單」是迥然不同的。

▼Black list不僅在英國，相信在許多國家都曾使用過，雖在英國它與商賈有關，但在日本，則又另有他意，日本的Black list，專指警察的記事冊。自明治時代起，警笛、警棍、繩索以及記事冊都成為警員的配件，在執行任務時，他們必須仔細觀察，以便隨時摘要紀錄並報告上級，直到「治安維持法」施行後，黑皮記事冊又添加了不少功用，凡是姓名、地址被登記在小冊子上的人，都是警方要特別提防的人，因此，他們也被稱為列入「黑名單」的壞人。

▼總之Black list都是代表不好的，即使在今日也不改變，想想看，你在學校中如果頑皮、不聽話，是不是也會被班長或風紀股長列入「黑名單」裡呢？

黑名單

69

黑貓真的會咒人，這絕不是迷信。

▼「黑」是最恐怖的顏色！然而最能代表陰森與恐怖的動物就是黑貓。

我如果告訴你，有一種動物，全身長滿黑毛，經常蹲在陰暗的角落中，只見兩個發光的眼珠不停的注視某個方向，如果有人經過，它不但會張開那個紅得像要滴血的大口，還會發出可怕的叫聲……你是否以為這是「貓精」？

▼不可否認的，黑貓在世界各個角落，都象徵著「恐怖」與「陰森」，那怕是科學最發達的美國，也不例外。他們認為只要有黑貓從你的面前走過，就表示你將遭遇不幸。在『驛馬車』這部電影中就出現了這種景象，當三個惡漢要找主角林洛決鬥時，突然一個黑影從前面晃過，三個人立刻拔槍射擊，這時他們聽到了可怕而陰森的鳴叫，但黑影已揚長而去。

後來，這場一比三的決鬥，林洛獲勝了，三個惡漢

同入黃泉，真是嗚呼哀哉！

▼古時候，日本人稱黑貓為「烏鴉貓」，黑貓中以具有金色左眼，銀色右眼的最可怕，牠在推理小說中經常出現，這種怪貓不須利用亡魂就可報仇，不像一般黑貓都在被殺後才向人討命，關於這類的故事很多，你若有興趣，不妨看看美國小說家愛倫坡（Poe）的名著——『黑貓』。

▼故事中提到男主角因酒醉誤殺了家裡的黑貓，當夜，它的房子就遭了火災，事後牆上竟出現被勒死的貓影，在陰森緊張的氣氛下，他又失手殺死了太太，為了泯滅證據，他將屍體埋入壁中，但卻經常從壁中出現妻子和張著大口的黑貓陰影，並雜夾著悽慘可怕的聲音。

▼愛倫坡不僅詩寫得好，還是推理小說的鼻祖，現在他告訴你可怕的黑貓故事後，你是否覺得可怕，不可思議呢？

黑貓

70

什麼是黑森林？

▼在阿拉斯加和西伯利亞等亞寒地帶，有一片廣大的針葉林，我們稱它為「黑森林」。黑森林的面積僅次於熱帶叢林，是世界第二大森林地。林木以西伯利亞唐松和岳樺為主，所以又叫做「大松林地帶（taiga）」，它們生長在經年不化的冰土以及被凍原所覆蓋的泥土中，凍原上長滿的苔類植物是馴鹿唯一的食物，這裡是一片冰冷而單調的陸塊，但為何人們稱這個滿佈冰雪的大松林地帶為「黑森林」呢？

▼櫻花、山茶花的葉子都是寬大的闊葉，而松、檜、杉等的葉子則是細長如針的針葉。針葉植物適宜在溫度低，緯度高的地方生長，原因是針狀葉不但可減少水分的散發，也比較能夠耐寒。

至於「黑森林」的由來，可能是因為生長在弱光中的樹林顏色顯得比較陰暗，且樹葉本身多屬墨綠色，以加強吸收陽光的能力吧！所以感覺上大松林地帶就成了漆黑的一片，而有「黑森林」之稱。

在西伯利亞和阿拉斯加的黑森林，愈往北部規模愈小，到最後只是一片苔原或覆蓋著地衣類植物的凍原。

▼除了實際存在的「黑森林」以外，井上光晴也有一本描述以反抗國家社會主義為標榜，卻濫殺百姓的著作，名叫『黑森林』。這本書中描寫一位被拘留在西伯利亞十二年之久的作者，對周遭的環境——黑森林，作了敏銳的觀察，並透露內心悲慘淒涼的感受。這無異是預言了為爭取人類自由而反抗共產暴政的俄國作家——索忍尼辛的命運。

▼在集中營裡托著腳鍊的人們，猶如在灰暗的風雪中漂流的野狼，他們不斷的哀號！希望發自內心的呼喚能引起世人的共鳴，縱然已聲嘶力竭，但求救的聲音絕不止息。

這是多令人傷痛的事實，難道抒發人類心聲的莫斯科地下文學就是黑森林?!難道一天天失去人性的莫斯科就是一個巨大的集中營?!就是一個可怕的黑森林嗎？

黑森林

71 古代歐洲大學者熱心研究的惡魔是什麼？它們的數量有多少？

▼以十三世紀為中心的歐洲中世紀文明，就是惡魔全盛的時代，當時學者們潛心研究惡魔的事蹟，並出版各種有關的書籍及畫像。現在，你是否急著想知道衆魔之首——黑帝王的長像呢？

▼當時，人們都以為惡魔是比惡靈更恐怖的反基督者，它們會侵入非基督徒的靈魂，引人走入邪惡之途；事實上，這是為了壓制信仰舊教，不遵奉基督神旨的人，所捏造出來的虛幻形象。到了十七世紀（歐洲的黑暗時代），這種不切實的意像更變本加厲，凡是不信仰基督者，皆可視為惡魔手下處以死刑。

▼歐洲學者所謂的惡魔究竟是什麼呢？他們說，惡魔除了尾巴和頭角外，其餘皆和人相似，它們住在高空、地下、森林，甚至水中，經常在夜晚出來為害人類，又有人說惡魔身上具有硫磺的臭味。它們變化無窮，有時像青蛙，有時像烏鴉，有時也像可怕的老鼠。但十九

世紀的作家柴可夫（Chekhov）卻說，惡魔是身體烏黑、眼睛火紅、酷似人形的邪惡使者。

▼當十五世紀盛行「惡魔分類學」的時候，惡魔學校威德士比那說，據估計惡魔共有一億三千三百二十萬六千六百六十八隻。到了十六世紀的比昂，則認為惡魔的數量應該是七百四十萬五千九百二十六隻，另外還有七十二位地獄魔王。或許，這些說法曾為人們深信不移，使後起者仍然研究不怠，而主張惡魔總數是世界人口之半，但這些是否可信，就要看你個人的想法了。

▼最後，我們來談談有關惡魔的奇怪故事。

大約在三百年前，在蘇格蘭的密爾塔城上有二隻烏鴉在築巢，城主見狀非常生氣，便把鳥巢打壞，這兩隻烏鴉大怒，便不知從何處啣來一枝著火的樹枝丟到城頂，整個城堡在一瞬間化成火海，你說，這是不是惡魔報仇的把戲呢！

惡魔

72 可置人於死地的超自然力——黑咒術。

▼能預測未來，也能看見遠處的事物，並以咒文發揮不可思議的力量，使人發生不幸的邪術就是黑咒術。

咒術可分為兩種，一種是為人治病、消災、找尋失物的「白咒術」，一種則是以超自然力來為害他人的「黑咒術」。

▼基督教認為，所有的咒術，不論黑白，都是旁門邪道，都是惡魔駕馭靈魂的工具與手段，因此，隨著基督教的興起，咒術逐漸轉入地下，成為教徒唾棄的邪道。

▼但儘管咒術飽受基督教的責難，但它卻依然在人群中蔓延。

根據魔法續編——『所羅門王之匙』記載著：想讓二位密友爭吵、分裂，只要向他們投下唸過符咒的蘋果就可以了。

▼使人爭吵尙屬小事，最可怕的是黑咒術置人於死的能力。巫師先把土或臘捏成人偶代表欲加害的人（當然，如果能找到對方的頭髮、指甲，或是他摸過的東西，踏過的泥土來做材料，效果更是奇妙），然後對著這個人偶的手、腳及頭部唸咒。現在，只要用針在唸過咒文的人偶上刺，對方就會痛不欲生，甚至瘋狂；如果將人偶埋入土中或沾濕，對方就會生病，如果放入火中燒成灰燼，那麼他就會痛苦的死去，這是一種無法解釋的妖術，為了避免壞人學習，我就不把咒文告訴大家了！

▼據說，在一九四九年就曾發生過這種可怕的咒術事件，當時英國拉比伯爵身體欠安，但醫生認為絕無大礙，只要保養幾天就會好的。但不到十天的工夫，伯爵就死了，且在他的房間裡發現一具小臘人，這種事，我們又當何解呢？真是玄呀！

黑咒術

73 誰創造了地獄？它位於何處？

▼人死後往哪裡去？是黑暗的地獄嗎？為了拯救人類的靈魂，讓我把「地獄」簡單的介紹一下吧！

▼地獄就是懲罰你在人世所造惡業的死後世界，這是與極樂世界成強烈對比的悲慘世界，如果說天堂和極樂世界是理想的聖地，那麼地獄就是受苦受難的罪惡之地。天堂與地獄明顯地劃分了人類世界的善與惡。事實上，這兩個世界都是由人類幻想所產生的對比境地，或許這句話使你感到迷惑不解，你且慢慢聽來！

▼早期的日本神話中稱人死後的世界為「黃泉之國」，直到佛教傳入日本後，才在人們心目中種下「地獄」的形象。像這種由強烈的罪過意識脫胎而出的明顯形象，在西方文藝復興初期以及日本「末法思想」發達的平安中期皆有著述。當時惠心法師所作的『往生要集』，把地獄的情形描繪得淋漓盡致，後來，人們又根據這本書畫出了各種地獄受難圖，使人類對地獄產生了具體的

印象。

▼究竟地獄在哪裡?『往生要集』中說,地獄共分八大部,由上而下分別是:①等活地獄、②黑繩地獄、③衆合地獄、④叫喚地獄、⑤大叫喚地獄、⑥焦熱地獄、⑦大焦熱地獄、⑧阿鼻地獄。此外每一大地獄中又有十六個附屬小地獄,所以地獄大小共有一百三十六個。

▼在一百三十六個地獄中,與我們關係最密切的就是「黑繩地獄」。這是懲罰殺生和偸竊者的地獄,在這裡的鬼差手中都握著烤得通紅的鐵棒及鐵斧懲罰落入此道的魂魄,至於附屬的小地獄又分為刑罰自殺者的等喚受苦處,以及刑罰殺人者的畏鷲處,景象真是慘不忍睹。

▼通常,人們都犯了與一百三十六個地獄相關的罪,所以死後必然會到地獄中,為了減輕自己的罪業,還是多做些善事,常積陰德,並常唸阿彌陀佛,以登極樂吧!

黑繩地獄

74

被遺棄的森林警備員！

▼伊索寓言中說，當森林中的飛鳥與野獸打仗時，雙方都唾棄了夜間活動的狡猾黑色動物，你知道這種白天隱匿不敢見光的怪物是什麼嗎？

▼牠就是穿著黑色披肩的黑蝙蝠，也是唯一能靠著自己的力量在空中飛行的野獸。

在動物分類上，蝙蝠屬於哺乳類翼手目，牠可以像小鳥一樣自在的飛翔，是因為牠的前肢除拇指外的各指間，皆長有像跂一樣的飛行薄膜，這些薄膜的作用與蛙類的跂在水中划水的功用相同。利用這種飛膜，蝙蝠可以每小時一百五十公里的速度在空中飛行。

▼提到蝙蝠，我們就會很快的聯想到雷達，因為蝙蝠是大自然的盲者，為了在飛行時不受阻礙，牠又秉賦了類似雷達的靈敏構造。當牠飛行時，口中時時發出短波，藉著短波的折射震動耳膜，再依回音的大小在腦中製出正確的地形圖，因此牠永遠不會撞到其他物體。蝙

蝠發出的短波波長是四萬八千～七萬赫的超音波，而人類聽得見的聲波通常是在十六～二萬赫的範圍中，因此，蝙蝠所發出的短波，人耳是無法聽見的。

▼蝙蝠利用自己所發出的超音波在黑暗的天空自由而安全的飛行，牠以害蟲及各種甲蟲類為主食。因此，牠雖被鳥、獸所遺棄，卻是害蟲的剋星，也是森林的保護者。

▼日本的家蝙蝠和山蝙蝠就是以昆蟲為主食的益獸之一，但在遼闊的世界上，仍不乏有可怕的黑蝙蝠，例如，生長於墨西哥等中南美洲的吸血蝙蝠就是，牠專門吸食動物的血，不論是家禽家畜，或是睡眠中的人類，都是牠吸食的對象，真像個吸血鬼，令人聞之喪膽。此外，也有專吃湖沼魚類和水果的蝙蝠，以及吃森林中夜間開花的植物蜜汁。

總之，類別繁多，不可勝數。雖然黑蝙蝠帶給人恐怖的感覺，但牠在森林中自然有其特殊的作用。

黑蝙蝠

大展出版社有限公司 圖書目錄

地址：台北市北投區(石牌)
致遠一路二段 12 巷 1 號
郵撥：0166955～1

電話：(02)28236031
28236033
傳真：(02)28272069

・法律專欄連載・電腦編號 58

台大法學院　　法律學系／策劃
法律服務社／編著

1. 別讓您的權利睡著了 1　200 元
2. 別讓您的權利睡著了 2　200 元

・秘傳占卜系列・電腦編號 14

1. 手相術	淺野八郎著	180 元
2. 人相術	淺野八郎著	150 元
3. 西洋占星術	淺野八郎著	180 元
4. 中國神奇占卜	淺野八郎著	150 元
5. 夢判斷	淺野八郎著	150 元
6. 前世、來世占卜	淺野八郎著	150 元
7. 法國式血型學	淺野八郎著	150 元
8. 靈感、符咒學	淺野八郎著	150 元
9. 紙牌占卜學	淺野八郎著	150 元
10. ESP 超能力占卜	淺野八郎著	150 元
11. 猶太數的秘術	淺野八郎著	150 元
12. 新心理測驗	淺野八郎著	160 元
13. 塔羅牌預言秘法	淺野八郎著	200 元

・趣味心理講座・電腦編號 15

1. 性格測驗① 探索男與女	淺野八郎著	140 元
2. 性格測驗② 透視人心奧秘	淺野八郎著	140 元
3. 性格測驗③ 發現陌生的自己	淺野八郎著	140 元
4. 性格測驗④ 發現你的真面目	淺野八郎著	140 元
5. 性格測驗⑤ 讓你們吃驚	淺野八郎著	140 元
6. 性格測驗⑥ 洞穿心理盲點	淺野八郎著	140 元
7. 性格測驗⑦ 探索對方心理	淺野八郎著	140 元
8. 性格測驗⑧ 由吃認識自己	淺野八郎著	160 元
9. 性格測驗⑨ 戀愛知多少	淺野八郎著	160 元
10. 性格測驗⑩ 由裝扮瞭解人心	淺野八郎著	160 元

11. 性格測驗⑪ 敲開內心玄機　淺野八郎著　140元
12. 性格測驗⑫ 透視你的未來　淺野八郎著　160元
13. 血型與你的一生　淺野八郎著　160元
14. 趣味推理遊戲　淺野八郎著　160元
15. 行為語言解析　淺野八郎著　160元

・婦幼天地・電腦編號 16

1. 八萬人減肥成果　黃靜香譯　180元
2. 三分鐘減肥體操　楊鴻儒譯　150元
3. 窈窕淑女美髮秘訣　柯素娥譯　130元
4. 使妳更迷人　成　玉譯　130元
5. 女性的更年期　官舒妍編譯　160元
6. 胎內育兒法　李玉瓊編譯　150元
7. 早產兒袋鼠式護理　唐岱蘭譯　200元
8. 初次懷孕與生產　婦幼天地編譯組　180元
9. 初次育兒 12 個月　婦幼天地編譯組　180元
10. 斷乳食與幼兒食　婦幼天地編譯組　180元
11. 培養幼兒能力與性向　婦幼天地編譯組　180元
12. 培養幼兒創造力的玩具與遊戲　婦幼天地編譯組　180元
13. 幼兒的症狀與疾病　婦幼天地編譯組　180元
14. 腿部苗條健美法　婦幼天地編譯組　180元
15. 女性腰痛別忽視　婦幼天地編譯組　150元
16. 舒展身心體操術　李玉瓊編譯　130元
17. 三分鐘臉部體操　趙薇妮著　160元
18. 生動的笑容表情術　趙薇妮著　160元
19. 心曠神怡減肥法　川津祐介著　130元
20. 內衣使妳更美麗　陳玄茹譯　130元
21. 瑜伽美姿美容　黃靜香編著　180元
22. 高雅女性裝扮學　陳珮玲譯　180元
23. 蠶糞肌膚美顏法　坂梨秀子著　160元
24. 認識妳的身體　李玉瓊譯　160元
25. 產後恢復苗條體態　居理安・芙萊喬著　200元
26. 正確護髮美容法　山崎伊久江著　180元
27. 安琪拉美姿養生學　安琪拉蘭斯博瑞著　180元
28. 女體性醫學剖析　增田豐著　220元
29. 懷孕與生產剖析　岡部綾子著　180元
30. 斷奶後的健康育兒　東城百合子著　220元
31. 引出孩子幹勁的責罵藝術　多湖輝著　170元
32. 培養孩子獨立的藝術　多湖輝著　170元
33. 子宮肌瘤與卵巢囊腫　陳秀琳編著　180元
34. 下半身減肥法　納他夏・史達賓著　180元
35. 女性自然美容法　吳雅菁編著　180元
36. 再也不發胖　池園悅太郎著　170元

37. 生男生女控制術　中垣勝裕著　220元
38. 使妳的肌膚更亮麗　楊　皓編著　170元
39. 臉部輪廓變美　芝崎義夫著　180元
40. 斑點、皺紋自己治療　高須克彌著　180元
41. 面皰自己治療　伊藤雄康著　180元
42. 隨心所欲瘦身冥想法　原久子著　180元
43. 胎兒革命　鈴木丈織著　180元
44. NS磁氣平衡法塑造窈窕奇蹟　古屋和江著　180元
45. 享瘦從腳開始　山田陽子著　180元
46. 小改變瘦4公斤　宮本裕子著　180元
47. 軟管減肥瘦身　高橋輝男著　180元
48. 海藻精神秘美容法　劉名揚編著　180元
49. 肌膚保養與脫毛　鈴木真理著　180元
50. 10天減肥3公斤　彤雲編輯組　180元
51. 穿出自己的品味　西村玲子著　280元

・青春天地・電腦編號17

1. A血型與星座　柯素娥編譯　160元
2. B血型與星座　柯素娥編譯　160元
3. 0血型與星座　柯素娥編譯　160元
4. AB血型與星座　柯素娥編譯　120元
5. 青春期性教室　呂貴嵐編譯　130元
6. 事半功倍讀書法　王毅希編譯　150元
7. 難解數學破題　宋釗宜編譯　130元
9. 小論文寫作秘訣　林顯茂編譯　120元
11. 中學生野外遊戲　熊谷康編著　120元
12. 恐怖極短篇　柯素娥編譯　130元
13. 恐怖夜話　小毛驢編譯　130元
14. 恐怖幽默短篇　小毛驢編譯　120元
15. 黑色幽默短篇　小毛驢編譯　120元
16. 靈異怪談　小毛驢編譯　130元
17. 錯覺遊戲　小毛驢編著　130元
18. 整人遊戲　小毛驢編著　150元
19. 有趣的超常識　柯素娥編譯　130元
20. 哦！原來如此　林慶旺編譯　130元
21. 趣味競賽100種　劉名揚編譯　120元
22. 數學謎題入門　宋釗宜編譯　150元
23. 數學謎題解析　宋釗宜編譯　150元
24. 透視男女心理　林慶旺編譯　120元
25. 少女情懷的自白　李桂蘭編譯　120元
26. 由兄弟姊妹看命運　李玉瓊編譯　130元
27. 趣味的科學魔術　林慶旺編譯　150元
28. 趣味的心理實驗室　李燕玲編譯　150元

29. 愛與性心理測驗　小毛驢編譯　130 元
30. 刑案推理解謎　小毛驢編譯　130 元
31. 偵探常識推理　小毛驢編譯　130 元
32. 偵探常識解謎　小毛驢編譯　130 元
33. 偵探推理遊戲　小毛驢編譯　130 元
34. 趣味的超魔術　廖玉山編著　150 元
35. 趣味的珍奇發明　柯素娥編著　150 元
36. 登山用具與技巧　陳瑞菊編著　150 元
37. 性的漫談　蘇燕謀編著　180 元
38. 無的漫談　蘇燕謀編著　180 元
39. 黑色漫談　蘇燕謀編著　180 元
40. 白色漫談　蘇燕謀編著　180 元

・健康天地・電腦編號 18

1. 壓力的預防與治療　柯素娥編譯　130 元
2. 超科學氣的魔力　柯素娥編譯　130 元
3. 尿療法治病的神奇　中尾良一著　130 元
4. 鐵證如山的尿療法奇蹟　廖玉山譯　120 元
5. 一日斷食健康法　葉慈容編譯　150 元
6. 胃部強健法　陳炳崑譯　120 元
7. 癌症早期檢查法　廖松濤譯　160 元
8. 老人痴呆症防止法　柯素娥編譯　130 元
9. 松葉汁健康飲料　陳麗芬編譯　130 元
10. 揉肚臍健康法　永井秋夫著　150 元
11. 過勞死、猝死的預防　卓秀貞編譯　130 元
12. 高血壓治療與飲食　藤山順豐著　150 元
13. 老人看護指南　柯素娥編譯　150 元
14. 美容外科淺談　楊啟宏著　150 元
15. 美容外科新境界　楊啟宏著　150 元
16. 鹽是天然的醫生　西英司郎著　140 元
17. 年輕十歲不是夢　梁瑞麟譯　200 元
18. 茶料理治百病　桑野和民著　180 元
19. 綠茶治病寶典　桑野和民著　150 元
20. 杜仲茶養顏減肥法　西田博著　150 元
21. 蜂膠驚人療效　瀨長良三郎著　180 元
22. 蜂膠治百病　瀨長良三郎著　180 元
23. 醫藥與生活㈠　鄭炳全著　180 元
24. 鈣長生寶典　落合敏著　180 元
25. 大蒜長生寶典　木下繁太郎著　160 元
26. 居家自我健康檢查　石川恭三著　160 元
27. 永恆的健康人生　李秀鈴譯　200 元
28. 大豆卵磷脂長生寶典　劉雪卿譯　150 元
29. 芳香療法　梁艾琳譯　160 元

30. 醋長生寶典　柯素娥譯　180 元
31. 從星座透視健康　席拉・吉蒂斯著　180 元
32. 愉悅自在保健學　野本二士夫著　160 元
33. 裸睡健康法　丸山淳士等著　160 元
34. 糖尿病預防與治療　藤田順豐著　180 元
35. 維他命長生寶典　菅原明子著　180 元
36. 維他命 C 新效果　鐘文訓編　150 元
37. 手、腳病理按摩　堤芳朗著　160 元
38. AIDS 瞭解與預防　彼得塔歇爾著　180 元
39. 甲殼質殼聚糖健康法　沈永嘉譯　160 元
40. 神經痛預防與治療　木下真男著　160 元
41. 室內身體鍛鍊法　陳炳崑編著　160 元
42. 吃出健康藥膳　劉大器編著　180 元
43. 自我指壓術　蘇燕謀編著　160 元
44. 紅蘿蔔汁斷食療法　李玉瓊編著　150 元
45. 洗心術健康秘法　竺翠萍編譯　170 元
46. 枇杷葉健康療法　柯素娥編譯　180 元
47. 抗衰血癒　楊啟宏著　180 元
48. 與癌搏鬥記　逸見政孝著　180 元
49. 冬蟲夏草長生寶典　高橋義博著　170 元
50. 痔瘡・大腸疾病先端療法　宮島伸宜著　180 元
51. 膠布治癒頑固慢性病　加瀨建造著　180 元
52. 芝麻神奇健康法　小林貞作著　170 元
53. 香煙能防止癡呆？　高田明和著　180 元
54. 穀菜食治癌療法　佐藤成志著　180 元
55. 貼藥健康法　松原英多著　180 元
56. 克服癌症調和道呼吸法　帶津良一著　180 元
57. B 型肝炎預防與治療　野村喜重郎著　180 元
58. 青春永駐養生導引術　早島正雄著　180 元
59. 改變呼吸法創造健康　原久子著　180 元
60. 荷爾蒙平衡養生秘訣　出村博著　180 元
61. 水美肌健康法　井戶勝富著　170 元
62. 認識食物掌握健康　廖梅珠編著　170 元
63. 痛風劇痛消除法　鈴木吉彥著　180 元
64. 酸莖菌驚人療效　上田明彥著　180 元
65. 大豆卵磷脂治現代病　神津健一著　200 元
66. 時辰療法—危險時刻凌晨 4 時　呂建強等著　180 元
67. 自然治癒力提升法　帶津良一著　180 元
68. 巧妙的氣保健法　藤平墨子著　180 元
69. 治癒 C 型肝炎　熊田博光著　180 元
70. 肝臟病預防與治療　劉名揚編著　180 元
71. 腰痛平衡療法　荒井政信著　180 元
72. 根治多汗症、狐臭　稻葉益巳著　220 元
73. 40 歲以後的骨質疏鬆症　沈永嘉譯　180 元

74. 認識中藥　松下一成著　180 元
75. 認識氣的科學　佐佐木茂美著　180 元
76. 我戰勝了癌症　安田伸著　180 元
77. 斑點是身心的危險信號　中野進著　180 元
78. 艾波拉病毒大震撼　玉川重德著　180 元
79. 重新還我黑髮　桑名隆一郎著　180 元
80. 身體節律與健康　林博史著　180 元
81. 生薑治萬病　石原結實著　180 元
82. 靈芝治百病　陳瑞東著　180 元
83. 木炭驚人的威力　大槻彰著　200 元
84. 認識活性氧　井土貴司著　180 元
85. 深海鮫治百病　廖玉山編著　180 元
86. 神奇的蜂王乳　井上丹治著　180 元
87. 卡拉 OK 健腦法　東潔著　180 元
88. 卡拉 OK 健康法　福田伴男著　180 元
89. 醫藥與生活㈡　鄭炳全著　200 元
90. 洋蔥治百病　宮尾興平著　180 元
91. 年輕 10 歲快步健康法　石塚忠雄著　180 元
92. 石榴的驚人神效　岡本順子著　180 元
93. 飲料健康法　白鳥早奈英著　180 元
94. 健康棒體操　劉名揚編譯　180 元
95. 催眠健康法　蕭京凌編著　180 元

・實用女性學講座・電腦編號 19

1. 解讀女性內心世界　島田一男著　150 元
2. 塑造成熟的女性　島田一男著　150 元
3. 女性整體裝扮學　黃靜香編著　180 元
4. 女性應對禮儀　黃靜香編著　180 元
5. 女性婚前必修　小野十傳著　200 元
6. 徹底瞭解女人　田口二州著　180 元
7. 拆穿女性謊言 88 招　島田一男著　200 元
8. 解讀女人心　島田一男著　200 元
9. 俘獲女性絕招　志賀貢著　200 元
10. 愛情的壓力解套　中村理英子著　200 元
11. 妳是人見人愛的女孩　廖松濤編著　200 元

・校園系列・電腦編號 20

1. 讀書集中術　多湖輝著　150 元
2. 應考的訣竅　多湖輝著　150 元
3. 輕鬆讀書贏得聯考　多湖輝著　150 元
4. 讀書記憶秘訣　多湖輝著　150 元

5. 視力恢復！超速讀術	江錦雲譯	180元
6. 讀書 36 計	黃柏松編著	180元
7. 驚人的速讀術	鐘文訓編著	170元
8. 學生課業輔導良方	多湖輝著	180元
9. 超速讀超記憶法	廖松濤編著	180元
10. 速算解題技巧	宋釗宜編著	200元
11. 看圖學英文	陳炳崑編著	200元
12. 讓孩子最喜歡數學	沈永嘉譯	180元
13. 催眠記憶術	林碧清譯	180元

・實用心理學講座・電腦編號 21

1. 拆穿欺騙伎倆	多湖輝著	140元
2. 創造好構想	多湖輝著	140元
3. 面對面心理術	多湖輝著	160元
4. 偽裝心理術	多湖輝著	140元
5. 透視人性弱點	多湖輝著	140元
6. 自我表現術	多湖輝著	180元
7. 不可思議的人性心理	多湖輝著	180元
8. 催眠術入門	多湖輝著	150元
9. 責罵部屬的藝術	多湖輝著	150元
10. 精神力	多湖輝著	150元
11. 厚黑說服術	多湖輝著	150元
12. 集中力	多湖輝著	150元
13. 構想力	多湖輝著	150元
14. 深層心理術	多湖輝著	160元
15. 深層語言術	多湖輝著	160元
16. 深層說服術	多湖輝著	180元
17. 掌握潛在心理	多湖輝著	160元
18. 洞悉心理陷阱	多湖輝著	180元
19. 解讀金錢心理	多湖輝著	180元
20. 拆穿語言圈套	多湖輝著	180元
21. 語言的內心玄機	多湖輝著	180元
22. 積極力	多湖輝著	180元

・超現實心理講座・電腦編號 22

1. 超意識覺醒法	詹蔚芬編譯	130元
2. 護摩秘法與人生	劉名揚編譯	130元
3. 秘法！超級仙術入門	陸明譯	150元
4. 給地球人的訊息	柯素娥編著	150元
5. 密教的神通力	劉名揚編著	130元
6. 神秘奇妙的世界	平川陽一著	200元

7. 地球文明的超革命	吳秋嬌譯	200 元
8. 力量石的秘密	吳秋嬌譯	180 元
9. 超能力的靈異世界	馬小莉譯	200 元
10. 逃離地球毀滅的命運	吳秋嬌譯	200 元
11. 宇宙與地球終結之謎	南山宏著	200 元
12. 驚世奇功揭秘	傅起鳳著	200 元
13. 啟發身心潛力心象訓練法	栗田昌裕著	180 元
14. 仙道術遁甲法	高藤聰一郎著	220 元
15. 神通力的秘密	中岡俊哉著	180 元
16. 仙人成仙術	高藤聰一郎著	200 元
17. 仙道符咒氣功法	高藤聰一郎著	220 元
18. 仙道風水術尋龍法	高藤聰一郎著	200 元
19. 仙道奇蹟超幻像	高藤聰一郎著	200 元
20. 仙道鍊金術房中法	高藤聰一郎著	200 元
21. 奇蹟超醫療治癒難病	深野一幸著	220 元
22. 揭開月球的神秘力量	超科學研究會	180 元
23. 西藏密教奧義	高藤聰一郎著	250 元
24. 改變你的夢術入門	高藤聰一郎著	250 元

·養 生 保 健· 電腦編號 23

1. 醫療養生氣功	黃孝寬著	250 元
2. 中國氣功圖譜	余功保著	230 元
3. 少林醫療氣功精粹	井玉蘭著	250 元
4. 龍形實用氣功	吳大才等著	220 元
5. 魚戲增視強身氣功	宮 嬰著	220 元
6. 嚴新氣功	前新培金著	250 元
7. 道家玄牝氣功	張 章著	200 元
8. 仙家秘傳袪病功	李遠國著	160 元
9. 少林十大健身功	秦慶豐著	180 元
10. 中國自控氣功	張明武著	250 元
11. 醫療防癌氣功	黃孝寬著	250 元
12. 醫療強身氣功	黃孝寬著	250 元
13. 醫療點穴氣功	黃孝寬著	250 元
14. 中國八卦如意功	趙維漢著	180 元
15. 正宗馬禮堂養氣功	馬禮堂著	420 元
16. 秘傳道家筋經內丹功	王慶餘著	280 元
17. 三元開慧功	辛桂林著	250 元
18. 防癌治癌新氣功	郭 林著	180 元
19. 禪定與佛家氣功修煉	劉天君著	200 元
20. 顛倒之術	梅自強著	360 元
21. 簡明氣功辭典	吳家駿編	360 元
22. 八卦三合功	張全亮著	230 元
23. 朱砂掌健身養生功	楊永著	250 元

24. 抗老功 陳九鶴著 230元
25. 意氣按穴排濁自療法 黃啟運編著 250元
26. 陳式太極拳養生功 陳正雷著 200元
27. 健身祛病小功法 王培生著 200元

・社會人智囊・電腦編號24

1. 糾紛談判術 清水增三著 160元
2. 創造關鍵術 淺野八郎著 150元
3. 觀人術 淺野八郎著 180元
4. 應急詭辯術 廖英迪編著 160元
5. 天才家學習術 木原武一著 160元
6. 貓型狗式鑑人術 淺野八郎著 180元
7. 逆轉運掌握術 淺野八郎著 180元
8. 人際圓融術 澀谷昌三著 160元
9. 解讀人心術 淺野八郎著 180元
10. 與上司水乳交融術 秋元隆司著 180元
11. 男女心態定律 小田晉著 180元
12. 幽默說話術 林振輝編著 200元
13. 人能信賴幾分 淺野八郎著 180元
14. 我一定能成功 李玉瓊譯 180元
15. 獻給青年的嘉言 陳蒼杰譯 180元
16. 知人、知面、知其心 林振輝編著 180元
17. 塑造堅強的個性 坂上肇著 180元
18. 為自己而活 佐藤綾子著 180元
19. 未來十年與愉快生活有約 船井幸雄著 180元
20. 超級銷售話術 杜秀卿譯 180元
21. 感性培育術 黃靜香編著 180元
22. 公司新鮮人的禮儀規範 蔡媛惠譯 180元
23. 傑出職員鍛鍊術 佐佐木正著 180元
24. 面談獲勝戰略 李芳黛譯 180元
25. 金玉良言撼人心 森純大著 180元
26. 男女幽默趣典 劉華亭編著 180元
27. 機智說話術 劉華亭編著 180元
28. 心理諮商室 柯素娥譯 180元
29. 如何在公司崢嶸頭角 佐佐木正著 180元
30. 機智應對術 李玉瓊編著 200元
31. 克服低潮良方 坂野雄二著 180元
32. 智慧型說話技巧 沈永嘉編著 180元
33. 記憶力、集中力增進術 廖松濤編著 180元
34. 女職員培育術 林慶旺編著 180元
35. 自我介紹與社交禮儀 柯素娥編著 180元
36. 積極生活創幸福 田中真澄著 180元
37. 妙點子超構想 多湖輝著 180元

38. 說NO的技巧 廖玉山編著 180元
39. 一流說服力 李玉瓊編著 180元
40. 般若心經成功哲學 陳鴻蘭編著 180元
41. 訪問推銷術 黃靜香編著 180元
42. 男性成功秘訣 陳蒼杰編著 180元
43. 笑容、人際智商 宮川澄子著 180元
44. 多湖輝的構想工作室 多湖輝著 200元
45. 名人名語啟示錄 喬家楓著 180元

・精選系列・電腦編號25

1. 毛澤東與鄧小平 渡邊利夫等著 280元
2. 中國大崩裂 江戶介雄著 180元
3. 台灣・亞洲奇蹟 上村幸治著 220元
4. 7-ELEVEN高盈收策略 國友隆一著 180元
5. 台灣獨立（新・中國日本戰爭一） 森詠著 200元
6. 迷失中國的末路 江戶雄介著 220元
7. 2000年5月全世界毀滅 紫藤甲子男著 180元
8. 失去鄧小平的中國 小島朋之著 220元
9. 世界史爭議性異人傳 桐生操著 200元
10. 淨化心靈享人生 松濤弘道著 220元
11. 人生心情診斷 賴藤和寬著 220元
12. 中美大決戰 檜山良昭著 220元
13. 黃昏帝國美國 莊雯琳譯 220元
14. 兩岸衝突（新・中國日本戰爭二） 森詠著 220元
15. 封鎖台灣（新・中國日本戰爭三） 森詠著 220元
16. 中國分裂（新・中國日本戰爭四） 森詠著 220元
17. 由女變男的我 虎井正衛著 200元
18. 佛學的安心立命 松濤弘道著 220元
19. 世界喪禮大觀 松濤弘道著 280元

・運動遊戲・電腦編號26

1. 雙人運動 李玉瓊譯 160元
2. 愉快的跳繩運動 廖玉山譯 180元
3. 運動會項目精選 王佑京譯 150元
4. 肋木運動 廖玉山譯 150元
5. 測力運動 王佑宗譯 150元
6. 游泳入門 唐桂萍編著 200元

・休閒娛樂・電腦編號27

1. 海水魚飼養法 田中智浩著 300元

2. 金魚飼養法	曾雪玫譯	250 元
3. 熱門海水魚	毛利匡明著	480 元
4. 愛犬的教養與訓練	池田好雄著	250 元
5. 狗教養與疾病	杉浦哲著	220 元
6. 小動物養育技巧	三上昇著	300 元
20. 園藝植物管理	船越亮二著	220 元

・銀髮族智慧學・電腦編號 28

1. 銀髮六十樂逍遙	多湖輝著	170 元
2. 人生六十反年輕	多湖輝著	170 元
3. 六十歲的決斷	多湖輝著	170 元
4. 銀髮族健身指南	孫瑞台編著	250 元

・飲 食 保 健・電腦編號 29

1. 自己製作健康茶	大海淳著	220 元
2. 好吃、具藥效茶料理	德永睦子著	220 元
3. 改善慢性病健康藥草茶	吳秋嬌譯	200 元
4. 藥酒與健康果菜汁	成玉編著	250 元
5. 家庭保健養生湯	馬汴梁編著	220 元
6. 降低膽固醇的飲食	早川和志著	200 元
7. 女性癌症的飲食	女子營養大學	280 元
8. 痛風者的飲食	女子營養大學	280 元
9. 貧血者的飲食	女子營養大學	280 元
10. 高脂血症者的飲食	女子營養大學	280 元
11. 男性癌症的飲食	女子營養大學	280 元
12. 過敏者的飲食	女子營養大學	280 元
13. 心臟病的飲食	女子營養大學	280 元
14. 滋陰壯陽的飲食	王增著	220 元

・家庭醫學保健・電腦編號 30

1. 女性醫學大全	雨森良彥著	380 元
2. 初為人父育兒寶典	小瀧周曹著	220 元
3. 性活力強健法	相建華著	220 元
4. 30 歲以上的懷孕與生產	李芳黛編著	220 元
5. 舒適的女性更年期	野末悅子著	200 元
6. 夫妻前戲的技巧	笠井寬司著	200 元
7. 病理足穴按摩	金慧明著	220 元
8. 爸爸的更年期	河野孝旺著	200 元
9. 橡皮帶健康法	山田晶著	180 元
10. 三十三天健美減肥	相建華等著	180 元

11. 男性健美入門　孫玉祿編著　180 元
12. 強化肝臟秘訣　主婦の友社編　200 元
13. 了解藥物副作用　張果馨譯　200 元
14. 女性醫學小百科　松山榮吉著　200 元
15. 左轉健康法　龜田修等著　200 元
16. 實用天然藥物　鄭炳全編著　260 元
17. 神秘無痛平衡療法　林宗駛著　180 元
18. 膝蓋健康法　張果馨譯　180 元
19. 針灸治百病　葛書翰著　250 元
20. 異位性皮膚炎治癒法　吳秋嬌譯　220 元
21. 禿髮白髮預防與治療　陳炳崑編著　180 元
22. 埃及皇宮菜健康法　飯森薰著　200 元
23. 肝臟病安心治療　上野幸久著　220 元
24. 耳穴治百病　陳抗美等著　250 元
25. 高效果指壓法　五十嵐康彥著　200 元
26. 瘦水、胖水　鈴木園子著　200 元
27. 手針新療法　朱振華著　200 元
28. 香港腳預防與治療　劉小惠譯　200 元
29. 智慧飲食吃出健康　柯富陽編著　200 元
30. 牙齒保健法　廖玉山編著　200 元
31. 恢復元氣養生食　張果馨譯　200 元
32. 特效推拿按摩術　李玉田著　200 元
33. 一週一次健康法　若狹真著　200 元
34. 家常科學膳食　大塚滋著　220 元
35. 夫妻們關心的男性不孕　原利夫著　220 元
36. 自我瘦身美容　馬野詠子著　200 元
37. 魔法姿勢益健康　五十嵐康彥著　200 元
38. 眼病錘療法　馬栩周著　200 元
39. 預防骨質疏鬆症　藤田拓男著　200 元
40. 骨質增生效驗方　李吉茂編著　250 元
41. 蕺菜健康法　小林正夫著　200 元
42. 赧於啟齒的男性煩惱　增田豐著　220 元
43. 簡易自我健康檢查　稻葉允著　250 元
44. 實用花草健康法　友田純子著　200 元
45. 神奇的手掌療法　日比野喬著　230 元
46. 家庭式三大穴道療法　刑部忠和著　200 元
47. 子宮癌、卵巢癌　岡島弘幸著　220 元
48. 糖尿病機能性食品　劉雪卿編著　220 元
49. 奇蹟活現經脈美容法　林振輝編譯　200 元
50. Super SEX　秋好憲一著　220 元
51. 了解避孕丸　林玉佩譯　200 元

・超經營新智慧・電腦編號 31

1.	躍動的國家越南	林雅倩譯	250 元
2.	甦醒的小龍菲律賓	林雅倩譯	220 元
3.	中國的危機與商機	中江要介著	250 元
4.	在印度的成功智慧	山內利男著	220 元
5.	7-ELEVEN 大革命	村上豐道著	200 元
6.	業務員成功秘方	呂育清編著	200 元

・心 靈 雅 集・電腦編號 00

1.	禪言佛語看人生	松濤弘道著	180 元
2.	禪密教的奧秘	葉逯謙譯	120 元
3.	觀音大法力	田口日勝著	120 元
4.	觀音法力的大功德	田口日勝著	120 元
5.	達摩禪 106 智慧	劉華亭編譯	220 元
6.	有趣的佛教研究	葉逯謙編譯	170 元
7.	夢的開運法	蕭京凌譯	130 元
8.	禪學智慧	柯素娥編譯	130 元
9.	女性佛教入門	許俐萍譯	110 元
10.	佛像小百科	心靈雅集編譯組	130 元
11.	佛教小百科趣談	心靈雅集編譯組	120 元
12.	佛教小百科漫談	心靈雅集編譯組	150 元
13.	佛教知識小百科	心靈雅集編譯組	150 元
14.	佛學名言智慧	松濤弘道著	220 元
15.	釋迦名言智慧	松濤弘道著	220 元
16.	活人禪	平田精耕著	120 元
17.	坐禪入門	柯素娥編譯	150 元
18.	現代禪悟	柯素娥編譯	130 元
19.	道元禪師語錄	心靈雅集編譯組	130 元
20.	佛學經典指南	心靈雅集編譯組	130 元
21.	何謂「生」阿含經	心靈雅集編譯組	150 元
22.	一切皆空　般若心經	心靈雅集編譯組	180 元
23.	超越迷惘　法句經	心靈雅集編譯組	130 元
24.	開拓宇宙觀　華嚴經	心靈雅集編譯組	180 元
25.	真實之道　法華經	心靈雅集編譯組	130 元
26.	自由自在　涅槃經	心靈雅集編譯組	130 元
27.	沈默的教示　維摩經	心靈雅集編譯組	150 元
28.	開通心眼　佛語佛戒	心靈雅集編譯組	130 元
29.	揭秘寶庫　密教經典	心靈雅集編譯組	180 元
30.	坐禪與養生	廖松濤譯	110 元
31.	釋尊十戒	柯素娥編譯	120 元
32.	佛法與神通	劉欣如編著	120 元

33. 悟（正法眼藏的世界）	柯素娥編譯	120 元
34. 只管打坐	劉欣如編著	120 元
35. 喬答摩・佛陀傳	劉欣如編著	120 元
36. 唐玄奘留學記	劉欣如編著	120 元
37. 佛教的人生觀	劉欣如編譯	110 元
38. 無門關(上卷)	心靈雅集編譯組	150 元
39. 無門關(下卷)	心靈雅集編譯組	150 元
40. 業的思想	劉欣如編著	130 元
41. 佛法難學嗎	劉欣如著	140 元
42. 佛法實用嗎	劉欣如著	140 元
43. 佛法殊勝嗎	劉欣如著	140 元
44. 因果報應法則	李常傳編	180 元
45. 佛教醫學的奧秘	劉欣如編著	150 元
46. 紅塵絕唱	海　若著	130 元
47. 佛教生活風情	洪丕謨、姜玉珍著	220 元
48. 行住坐臥有佛法	劉欣如著	160 元
49. 起心動念是佛法	劉欣如著	160 元
50. 四字禪語	曹洞宗青年會	200 元
51. 妙法蓮華經	劉欣如編著	160 元
52. 根本佛教與大乘佛教	葉作森編	180 元
53. 大乘佛經	定方晟著	180 元
54. 須彌山與極樂世界	定方晟著	180 元
55. 阿闍世的悟道	定方晟著	180 元
56. 金剛經的生活智慧	劉欣如著	180 元
57. 佛教與儒教	劉欣如編譯	180 元
58. 佛教史入門	劉欣如編譯	180 元
59. 印度佛教思想史	劉欣如編譯	200 元
60. 佛教與女姓	劉欣如編譯	180 元
61. 禪與人生	洪丕謨主編	260 元

・經 營 管 理・電腦編號 01

◎ 創新經營管理六十六大計(精)	蔡弘文編	780 元
1. 如何獲取生意情報	蘇燕謀譯	110 元
2. 經濟常識問答	蘇燕謀譯	130 元
4. 台灣商戰風雲錄	陳中雄著	120 元
5. 推銷大王秘錄	原一平著	180 元
6. 新創意・賺大錢	王家成譯	90 元
7. 工廠管理新手法	琪　輝著	120 元
10. 美國實業 24 小時	柯順隆譯	80 元
11. 撼動人心的推銷法	原一平著	150 元
12. 高竿經營法	蔡弘文編	120 元
13. 如何掌握顧客	柯順隆譯	150 元
17. 一流的管理	蔡弘文編	150 元

18. 外國人看中韓經濟　劉華亭譯　150元
20. 突破商場人際學　林振輝編著　90元
22. 如何使女人打開錢包　林振輝編著　100元
24. 小公司經營策略　王嘉誠著　160元
25. 成功的會議技巧　鐘文訓編譯　100元
26. 新時代老闆學　黃柏松編著　100元
27. 如何創造商場智囊團　林振輝編譯　150元
28. 十分鐘推銷術　林振輝編譯　180元
29. 五分鐘育才　黃柏松編譯　100元
33. 自我經濟學　廖松濤編譯　100元
34. 一流的經營　陶田生編著　120元
35. 女性職員管理術　王昭國編譯　120元
36. ＩＢＭ的人事管理　鐘文訓編譯　150元
37. 現代電腦常識　王昭國編譯　150元
38. 電腦管理的危機　鐘文訓編譯　120元
39. 如何發揮廣告效果　王昭國編譯　150元
40. 最新管理技巧　王昭國編譯　150元
41. 一流推銷術　廖松濤編譯　150元
42. 包裝與促銷技巧　王昭國編譯　130元
43. 企業王國指揮塔　松下幸之助著　120元
44. 企業精銳兵團　松下幸之助著　120元
45. 企業人事管理　松下幸之助著　100元
46. 華僑經商致富術　廖松濤編譯　130元
47. 豐田式銷售技巧　廖松濤編譯　180元
48. 如何掌握銷售技巧　王昭國編著　130元
50. 洞燭機先的經營　鐘文訓編譯　150元
52. 新世紀的服務業　鐘文訓編譯　100元
53. 成功的領導者　廖松濤編譯　120元
54. 女推銷員成功術　李玉瓊編譯　130元
55. ＩＢＭ人才培育術　鐘文訓編譯　100元
56. 企業人自我突破法　黃琪輝編著　150元
58. 財富開發術　蔡弘文編著　130元
59. 成功的店舖設計　鐘文訓編著　150元
61. 企管回春法　蔡弘文編著　130元
62. 小企業經營指南　鐘文訓編譯　100元
63. 商場致勝名言　鐘文訓編譯　150元
64. 迎接商業新時代　廖松濤編譯　100元
66. 新手股票投資入門　何朝乾編著　200元
67. 上揚股與下跌股　何朝乾編譯　180元
68. 股票速成學　何朝乾編譯　200元
69. 理財與股票投資策略　黃俊豪編著　180元
70. 黃金投資策略　黃俊豪編著　180元
71. 厚黑管理學　廖松濤編譯　180元
72. 股市致勝格言　呂梅莎編譯　180元

73. 透視西武集團	林谷燁編譯	150 元
76. 巡迴行銷術	陳蒼杰譯	150 元
77. 推銷的魔術	王嘉誠譯	120 元
78. 60 秒指導部屬	周蓮芬編譯	150 元
79. 精銳女推銷員特訓	李玉瓊編譯	130 元
80. 企劃、提案、報告圖表的技巧	鄭汶譯	180 元
81. 海外不動產投資	許達守編譯	150 元
82. 八百伴的世界策略	李玉瓊譯	150 元
83. 服務業品質管理	吳宜芬譯	180 元
84. 零庫存銷售	黃東謙編譯	150 元
85. 三分鐘推銷管理	劉名揚編譯	150 元
86. 推銷大王奮鬥史	原一平著	150 元
87. 豐田汽車的生產管理	林谷燁編譯	150 元

・成 功 寶 庫・電腦編號 02

1. 上班族交際術	江森滋著	100 元
2. 拍馬屁訣竅	廖玉山編譯	110 元
4. 聽話的藝術	歐陽輝編譯	110 元
9. 求職轉業成功術	陳義編著	110 元
10. 上班族禮儀	廖玉山編著	120 元
11. 接近心理學	李玉瓊編著	100 元
12. 創造自信的新人生	廖松濤編著	120 元
15. 神奇瞬間瞑想法	廖松濤編譯	100 元
16. 人生成功之鑰	楊意苓編著	150 元
19. 給企業人的諍言	鐘文訓編著	120 元
20. 企業家自律訓練法	陳義編譯	100 元
21. 上班族妖怪學	廖松濤編著	100 元
22. 猶太人縱橫世界的奇蹟	孟佑政編著	110 元
25. 你是上班族中強者	嚴思圖編著	100 元
30. 成功頓悟 100 則	蕭京凌編譯	130 元
32. 知性幽默	李玉瓊編譯	130 元
33. 熟記對方絕招	黃靜香編譯	100 元
37. 察言觀色的技巧	劉華亭編著	180 元
38. 一流領導力	施義彥編譯	120 元
40. 30 秒鐘推銷術	廖松濤編譯	150 元
41. 猶太成功商法	周蓮芬編譯	120 元
42. 尖端時代行銷策略	陳蒼杰編著	100 元
43. 顧客管理學	廖松濤編著	100 元
44. 如何使對方說 Yes	程羲編著	150 元
47. 上班族口才學	楊鴻儒譯	120 元
48. 上班族新鮮人須知	程羲編著	120 元
49. 如何左右逢源	程羲編著	130 元
50. 語言的心理戰	多湖輝著	130 元

55. 性惡企業管理學	陳蒼杰譯	130元
56. 自我啟發200招	楊鴻儒編著	150元
57. 做個傑出女職員	劉名揚編著	130元
58. 靈活的集團營運術	楊鴻儒編著	120元
60. 個案研究活用法	楊鴻儒編著	130元
61. 企業教育訓練遊戲	楊鴻儒編著	120元
62. 管理者的智慧	程義編譯	130元
63. 做個佼佼管理者	馬筱莉編譯	130元
67. 活用禪學於企業	柯素娥編譯	130元
69. 幽默詭辯術	廖玉山編譯	150元
70. 拿破崙智慧箴言	柯素娥編譯	130元
71. 自我培育・超越	蕭京凌編譯	150元
74. 時間即一切	沈永嘉編譯	130元
75. 自我脫胎換骨	柯素娥譯	150元
76. 贏在起跑點 人才培育鐵則	楊鴻儒編譯	150元
77. 做一枚活棋	李玉瓊編譯	130元
78. 面試成功戰略	柯素娥編譯	130元
81. 瞬間攻破心防法	廖玉山編譯	120元
82. 改變一生的名言	李玉瓊編譯	130元
83. 性格性向創前程	楊鴻儒編譯	130元
84. 訪問行銷新竅門	廖玉山編譯	150元
85. 無所不達的推銷話術	李玉瓊編譯	150元

・處 世 智 慧・電腦編號03

1. 如何改變你自己	陸明編譯	120元
6. 靈感成功術	譚繼山編譯	80元
8. 扭轉一生的五分鐘	黃柏松編譯	100元
10. 現代人的詭計	林振輝譯	100元
13. 口才必勝術	黃柏松編譯	120元
14. 女性的智慧	譚繼山編譯	90元
16. 人生的體驗	陸明編譯	80元
18. 幽默吹牛術	金子登著	90元
19. 攻心說服術	多湖輝著	100元
24. 慧心良言	亦奇著	80元
25. 名家慧語	蔡逸鴻主編	90元
28. 如何發揮你的潛能	陸明編譯	90元
29. 女人身態語言學	李常傳譯	130元
30. 摸透女人心	張文志譯	90元
32. 給女人的悄悄話	妮倩編譯	90元
34. 如何開拓快樂人生	陸明編譯	90元
36. 成功的捷徑	鐘文訓譯	70元
37. 幽默逗笑術	林振輝著	120元
38. 活用血型讀書法	陳炳崑譯	80元

39. 心　燈	葉于模著	100元
40. 當心受騙	林顯茂譯	90元
41. 心・體・命運	蘇燕謀譯	70元
43. 宮本武藏五輪書金言錄	宮本武藏著	100元
47. 成熟的愛	林振輝譯	120元
48. 現代女性駕馭術	蔡德華著	90元
49. 禁忌遊戲	酒井潔著	90元
52. 摸透男人心	劉華亭編譯	80元
53. 如何達成願望	謝世輝著	90元
54. 創造奇蹟的「想念法」	謝世輝著	90元
55. 創造成功奇蹟	謝世輝著	90元
57. 幻想與成功	廖松濤譯	80元
58. 反派角色的啟示	廖松濤編譯	70元
59. 現代女性須知	劉華亭編著	75元
62. 如何突破內向	姜倩怡編譯	110元
64. 讀心術入門	王家成編譯	100元
65. 如何解除內心壓力	林美羽編著	110元
66. 取信於人的技巧	多湖輝著	110元
68. 自我能力的開拓	卓一凡編著	110元
70. 縱橫交涉術	嚴思圖編著	90元
71. 如何培養妳的魅力	劉文珊編著	90元
75. 個性膽怯者的成功術	廖松濤編譯	100元
76. 人性的光輝	文可式編著	90元
79. 培養靈敏頭腦秘訣	廖玉山編著	90元
80. 夜晚心理術	鄭秀美編譯	80元
81. 如何做個成熟的女性	李玉瓊編著	80元
82. 現代女性成功術	劉文珊編著	90元
83. 成功說話技巧	梁惠珠編譯	100元
84. 人生的真諦	鐘文訓編譯	100元
85. 妳是人見人愛的女孩	廖松濤編著	120元
87. 指尖・頭腦體操	蕭京凌編譯	90元
88. 電話應對禮儀	蕭京凌編著	120元
89. 自我表現的威力	廖松濤編譯	100元
90. 名人名語啟示錄	喬家楓編著	100元
91. 男與女的哲思	程鐘梅編譯	110元
92. 靈思慧語	牧風著	110元
93. 心靈夜語	牧風著	100元
94. 激盪腦力訓練	廖松濤編譯	100元
95. 三分鐘頭腦活性法	廖玉山編譯	110元
96. 星期一的智慧	廖玉山編譯	100元
97. 溝通說服術	賴文琇編譯	100元

國家圖書館出版品預行編目資料

黑色漫談／蘇燕謀編著
－初版－臺北市，大展，民87
面；21公分－（青春天地；39）
ISBN 957-557-885-6（平裝）
1. 雜錄

046　　87014135

黑色漫談　　ISBN 957-557-885-6

編 著 者／蘇　燕　謀
發 行 人／蔡　森　明
出 版 者／大展出版社有限公司
社　　址／台北市北投區（石牌）致遠一路2段12巷1號
電　　話／(02) 28236031・28236033
傳　　真／(02) 28272069
郵政劃撥／0166955—1
登 記 證／局版臺業字第2171號
承 印 者／國順圖書印刷公司
裝　　訂／嶸興裝訂有限公司
排 版 者／千兵企業有限公司
電　　話／(02) 28812643
初版1刷／1998年（民87年）12月

定　價／180元

大展好書
好書大展